MERĦBA BIK

MERĦBA BIK

Antoinette Camilleri

Pubblikazzjoni
Colour Image – Mġarr (Malta)

Colour Image
Mġarr (Malta)

Ritratti: A. Cauchi

Disinn tal-qoxra: Repro House

ISBN: 99909-84-02-6

L-ewwel edizzjoni 1997

Typeset u ippaġnar minn R.B. Typesetting Services
Mitbugħ mill-Colour Image, Mġarr (Malta)

Lil oħti Mary

għal dak kollu li tfisser

Il-kontenut lingwistiku tal-ktieb
Linguistic Contents

Il-Kapitli *The chapters*	Skaluni *Sa tmiem kull kapitlu l-istudent ikun kapaċi:* *Attainment targets:*	Pronunzja *Pronunciation*	Ortografija *Spelling*	Grammatika *Grammar*	Soċjolingwistika Kultura *Socio Linguistic* *Culture*	Vokabolarju *Vocabulary*
1 Jien u Int	isellem, iwieġeb mistoqsijiet ħfief dwaru nnifsu, u jistaqsi l-istess mistoqsijiet lil ħaddieħor	l-alfabett Malti, il-konsonanti u l-vokali	l-ittri kbar u l-ittri żgħar	il-pronomi personali il-mistoqsija b'"X'" is-suffis "k"	il-karta ta' l-identità, manjieri kif nindirizzaw lil xulxin	il-ġranet tal-ġimgħa, ix-xhur tas-sena, l-istaġuni, in-numri mill-1 sal-100
2 Fejn toqgħod?	iwieġeb mistoqsijiet ħfief dwar lokalitajiet u nħawi ta' abitazzjoni (fejn) u konoxxenza ta' persuni (min)	kliem bil-"għ" bla ħoss jew b'ħoss differenti	l-apostrofi flok l-"għ"	l-imperfett il-kostruzzjoni b' "għandi" il-prepożizzjoni "ta' " mas-suffissi	postijiet ta' abitazzjoni, irħula, bliet u pajjiżi referenza għan-nies bil-laqam	il-kmamar u t-tqassim tad-dar, is-siġra tal-familja u r-relazzjonijiet familjari
3 X'inħobb . . .!	jesprimi xewqat u gosti	il-ħoss ta' l-"għ" fi tmiem il-kelma	kliem li jispiċċa bil-"għ" fin-negattiv	l-artiklu Se + Imperfett in-negattiv	xi drawwiet relatati mal-ħin tal-mistrieħ	ikel, passatempi, il-kuluri
4 Vaganza f'Malta	kapaċi jifhem u jagħti l-ħin bil-Malti	il-ħoss ta' l-"għ" u l-"h" ħdejn xulxin	l-artiklu mal-prepożizzjoni-jiet	xi prepożizzjonijiet	drawwiet marbutin mal-ħin	termini relatati mas-safar, il-mezzi tat-trasport

5 L-iskola	jitkellem dwar is-suġġetti ta' l-iskola u l-istudju kapaċi jqabbel ħaġa m'oħra	il"q" u l-"ħ"	is-sing fin-numri 11 sa 19 in-negattiv il-plural	il-perfett il-komparattiv u s-superlattiv l-użu ta' "xi"	il-ġurnata ta' l-iskola	il-ħin, iż-żmien, in-numri minn 100 'l fuq, in-numri ordinali, il-partijiet tal-ġisem, il-ħwejjeġ
6 X'nixtieq insir …	kapaċi jitkellem dwar xogħlijiet differenti	kliem bil-"h" bil-ħoss ta' "ħe"	vokali ħdejn xulxin	iktar prepożizzjonijiet maskil, femminil, il-plural (sħiħ)	il-ħajja ta' l-iskola u tax-xogħol	xogħlijiet
7 Dawra bil-karozza	kapaċi jesprimi ħsus ta' sorpriża, stagħġib u apprezzament	l-intonazzjoni tal-mistoqsija	il-vokali "i" fil-kliem missellef	in-negattiv bil-kelma "mhux" l-imperattiv	it-trasport pubbliku f'Malta	id-direzzjonijiet u s-sinjali tat-traffiku
8 Festi Maltin	kapaċi jitlob u jikseb informazzjoni dwar fejn, meta u kif	il-konsonanti doppja	l-"għ" fin-numri ma, ma', ta, ta'	il-pronomi mehmużin	festi Maltin u drawwiet marbutin magħhom	it-terminoloġija marbuta mal-festi
9 Ftaħtli l-aptit!	jagħżel u jirrifjuta l-ikel u affarijiet oħra	vokali twal u vokali qosra	l-aċċent f'tarf il-kelma	il-verb ma' l-oġġetti dirett il-kostruzzjoni ta' "qed" u "qiegħed"	riċetti Maltin	ikel Malti u termini relatati max-xogħol fil-kċina
10 Il-Belt Valletta	jiddeskrivi ġrajjiet u postijiet	l-assimilazzjoni tal-konsonanti	l-"għ" fl-imperattiv	"ilni" u kelli	tagħrif dwar il-belt Valletta	il-ħakkiema ta' Malta

Messaġġ
mill-E.T. DOTT UGO MIFSUD BONNICI
President ta' Malta

Aħna l-Maltin ta' Malta għandna elf raġuni għaliex nagħtu 'l-Ilsien Nazzjonali tagħna l-importanza li jistħoqqlu. Inħobbuh u nafuh. Mhux kulħadd jafu kif imissu jafu, u mhux kulħadd iħobbu bl-istess mod u għall-istess raġuni. Iżda min hu Malti u qiegħed Malta diffiċli biex illum jew għada ma jitgħallmux bil-prattika stess ta' kuljum.

Hemm nies oħra li jista' jkollhom interess li jitgħallmu l-Malti u jeħtieġu l-għajnuna tal-kotba; ulied il-Maltin ta' barra; stranġieri li jgħixu fostna jew għandhom negozji jew interessi f'pajjiżna; studjużi ta' ilsna Semitiċi jew Romanzi; studjużi tal-lingwistika. F'dawn l-aħħar snin żdied in-numru ta' dawk li huma mħajra jitgħallmu l-Malti, għalkemm ma kienx dan l-ilsien li trabbew bih.

Dan il-ktieb huwa prattiku: huwa maħsub biex minnu tidħol għall-użu tal-lingwa tagħna. Huwa aġġornat: il-frażijiet huma dawk li wieħed jiltaqa' magħhom kuljum. M'għandux pretensjonijiet ta' trattat teoretiku-prattiku, iżda xorta għandu siwi lingwistiku xjentifiku. Huwa prova ħajja ta' lsien ħaj u qed jinbidel mingħajr ma jitlef il-karattru tiegħu.

Ulied il-Maltin ta' barra qed juru li jixtiequ jerġgħu jingħaqdu mal-familja ta' nieshom permezz ta' l-ilsien. Dan għandu tifsir anki aktar wiesa' minn dak ta' skoperta mill-ġdid ta' l-oriġini tagħhom. Jixhed ukoll li barra minn pajjiżna aktar Maltin qed juru li huma kburin bl-identità tagħhom. Aktar barranin qed jitgħallmu l-Malti. Dari konna niskantaw meta xi barrani jlissen xi kelma Maltija. Illum ħafna - u mhux biss diplomatiċi - fehmu s-siwi li f'Malta pajjiż indipendenti, bi stampa politika bil-Malti, u b'ħafna negozju għaddej bi lsienna, huwa għaqli li tifhem it-test direttament u mhux fi traduzzjoni. Qed jiżdied aktar bil-mod il-għadd ta' dawk l-istudjużi li jaraw fil-Malti eżempju eċċezzjonali ta' amalgama lingwistika. Dawn kollha jieħdu pjaċir b'dan il-ktieb li huwa introduzzjoni mhux komplikata żżejjed għal-lingwa kurrenti.

Dan huwa ktieb f'waqtu għaliex mhux biss jgħin lil min kellu diġà raġuni għaliex ifittex li jkun jaf ilsienna, iżda wkoll għaliex ser iqajjem l-interess anki ta' dawk li jiġu jżuruna ta' kultant.

Nixtieqlu suċċess!

UGO MIFSUD BONNICI
President ta' Malta

23 ta' Mejju, 1997.

Message
by H.E. DR. UGO MIFSUD BONNICI
President of Malta

The National Language has every right to demand from us, Maltese living in Malta, its due importance. We know it, in fact we love it. Not everyone knows it as it should be known, and not everybody loves it in the same way and for the same reason. However, those who are Maltese and living in Malta will sooner or later master it through everyday acquaintance.

There are other people who might have an interest in learning Maltese and who might require some assistance from a book; those who were born to Maltese living abroad; foreigners who live in Malta or who have business or other interests here; students of Semitic or Romance languages, students of linguistics. In recent years there has been an increase in the number of people who would wish to learn Maltese even though it was not the language of their upbringing.

This is a practical book: it is intended as an introduction to the use of the language. It is up-to-date: the phrases are those encountered everyday. It does not have the pretensions of a theoretico-practical treatise, though it has scientific-linguistic worth. It is live evidence of the vitality of a language which is changing, but has not lost its character.

The descendants of the Maltese who emigrated give indications of wishing to restore ties with the families of origin through their language. This has a meaning which goes beyond the mere rediscovery of their roots. It is a proof of the fact that more people of Maltese origin are feeling proud of their identity. Also, more foreigners are learning Maltese.

We used to be surprised when foreigners proffered some Maltese expression. Today a good number, and not only diplomats, have found it useful and wise that in an independent country with a political press in Maltese and with a lot of business being conducted in our language one should understand directly and not through the medium of translation. The number of those academics who see in Maltese a strange linguistic mixture is also increasing. All these will find it a pleasure to have this book in hand as not too complicated an introduction to current Maltese language use.

It is a timely publication in that it not only helps those who already had a reason to learn the language, it will also arouse the interest of those who may have had occasion to come across it.

We wish it every success!

UGO MIFSUD BONNICI
President of Malta

23rd May, 1997

DAĦLA

Ħassejtha ħaġa stramba għall-aħħar, meta sirt Rettur ta' l-Università fl-1987, u sibt li, filwaqt li kellna ħafna speċjalisti fit-tagħlim ta' l-Ingliż għall-barranin u dawn l-għalliema kienu mgħamrin b'ħafna għodda mill-aħjar għat-twettiq ta' xogħolhom, il-qagħda ma kienet xejn sabiħa fejn jidħol il-Malti.

Kellhom merti kbar il-pijunieri li fetħu t-triq fit-tfassil ta' l-ewwel mezzi li bdew jintużaw biex jgħinu lil min xtaq jitgħallem ilsienna. Iżda f'dawn l-aħħar snin kienu saru passi ta' ġgant fil-pedagoġija tal-lingwi, xejn inqas milli saru fil-lingwistika nfisha.

Anki għaxar snin ilu ma kien baqa' ħadd fost dawk li jifhmu f'dawn l-oqsma li kien għadu jaħseb li biex titgħallem lingwa bl-aħjar mod, stajt tinqeda b'waħda minn dawk il-grammatki imfassla ftit jew wisq fis-sura li kienu taw l-ewwel studjużi lill-grammatika tal-Latin.

Kien hawn qbil ukoll li l-aħjar alternattiva ma kinetx dik proposta b'suċċess kummerċjali għall-ewwel darba mill-Berlitz School - jiġifieri li l-istudent jiġi "mgħargħar" fl-lingwa u jitgħallimha ftit jew wisq kif nitgħalmu ngħumu mingħajr ebda spjegazzjoni xejn tar-regoli tal-grammatika.

Bejn dawn ix-xejriet estremi fil-metodu tat-tagħlim tal-lingwi, issa, ilu żmien li beda jfiġġ konsensus li għandha tintgħażel sistema bejn wieħed u ieħor bħal dik imħaddna f'dan il-ktieb.

L-awtriċi tiegħu kienet sewwasew il-persuna li ġiet indikata lili, mill-ewwel malli sirt Rettur ta' l-Università, bħala l-istudenta l-aktar promettenti u mħajra biex timla l-vojt li kellna ta' kotba bħal dan li issa, għaxar snin (u ħafna xogħol) wara, għandna x-xorti li jkollna f'idejna.

Hija ħaġa li forsi anki tqanqal xi ftit ta' l-iskantament kif Dr. Camilleri rnexxielha tolqot ħafna miri bl-istess vleġġa (biex nuża metafora mill-isport tal-qaws flok dik tas-soltu meħudha mill-kaċċa). Naħseb li dan huwa, in parti, għaliex għarfet li l-pedagoġija tal-lingwi hija għalqa aktar imbierka mill-prammatiżmu milli mid-dommatiżmu.

Forsi s-sinjal ta' dan li l-aktar jagħti fil-għajn huwa l-fatt li, għalkemm il-ktieb miktub kważi kollu bil-Malti, Dr. Camilleri ma skruplatx iddaħħal ximindaqqiet (rari) sentenza 'l hawn u 'l hemm bl-Ingliż. Dan jista' jkun ta' għajnuna għal x'uħud fost il-qarrejja li għalihom huwa intenzjonat il-ktieb.

Hemm ħafna raġunijiet għaliex il-Malti huwa lingwa mill-aktar interessanti kif jistqarru studjużi barranin, dejjem jiżdiedu aktar fil-għadd. U mhemmx raġuni għaliex anki l-metodu ta' kif tistudjah m'għandux ikun interessanti wkoll.

Rev. Prof. Peter Serracino Inglott

Introduction

The Maltese Islands

The Republic of Malta consists of three inhabited islands and a small number of rocks, lying in the centre of the Mediterranean Sea. The main island of Malta, hosting government and administration, covers an area of 246 sq. km., while the sister island of Gozo covers an area of 67 sq. km. In between these two islands lies Comino, mainly used as a tourist resort, with an area of 2.7 sq. km. The Maltese islands are situated in the centre of the Mediterranean Sea, 93 km. south of Sicily and 288 km. north-east of Tunisia. The population of the Maltese islands is 370,000 and this results in a very high population density of 1076 persons per sq. km.

The Maltese language

Maltese is the national language of the Republic of Malta. It is co-official with English as Malta is a functioning bilingual country. Maltese is a mixed language with both Semitic and Romance elements fusing and moulding its syntactic and morphological structure, with a more recent English adstratum consisting mainly of lexical material. There are several varieties of Maltese generally associated with various geographical regions. A few hundred thousand Maltese people live in migrant communities abroad, mostly in the United States, Canada and Australia and continue to speak their own variety of the language.

The Maltese presented in this coursebook is the Standard variety, spoken and written throughout the Maltese islands.

This coursebook

Merħba Bik has been written with the adolescent and mature student in mind. Some topics appeal more to secondary school students, others to a more adult audience. In each case, however, the material provided is aimed at beginners. By the end of the course every student should be able to communicate adequately in Maltese.

Learning to understand and to speak a language is a complex task. It is not enough to learn lists of words and understand the grammar. To gain a working command of language, a student needs sufficient exposure to that language and a great deal of practice. This coursebook provides adequate English support in the form of translation and exlanation in order to ease the frustration of complete immersion into the foreign language. Furthermore, the repetition of vocabularly and structures in the recorded text on CD and in the graded work across chapters, are meant as revision and reinforcement to encourage the student to achieve further.

The individual student can work through the course on his own, with the help of a dictionary such as the trilingual dicitionary by Ludovik Schembri OCD (1997) *Vokabularju Malti-Ingliż-Taljan*. ***Merħba Bik*** also easily lends itself to classroom use where the teacher could expand the dialogues, the explanations and the exercises.

The components
In each chapter new language content is determined by the topic thereof. The guiding principle is that language is a social phenomenon and is therefore continuously presented in its cultural context. The methodology is based on the communicative approach which has been very successful in recent years.

By working through each chapter the student will reach the attainment targets one by one as indicated in the Table of Linguistic Contents. Enough material is provided for the practice of listening, speaking, reading and writing. Furthermore, in each chapter there are sections specifically dedicated to the teaching of pronunciation, grammar and orthography. At the end of each chapter some revision exercises are provided and a short story or dialogue follows, usually at a higher level.

I hope you enjoy working through the book as you familiarize yourself with the Maltese language and culture, and I wish you Good Luck!

1 JIEN U INT

Bonġu!
Jien Marika.
Jien mill-Mellieħa.
Jien studenta l-Università

Bonġu!
Jien Robert.
Jien mill-Mosta.
Jien għalliem fi skola sekondarja.

Bonġu!
Jien Simona minn Għawdex.
Jien naħdem il-bank.

Hello!
Jien Martin Saliba.
Noqgħod ir-Rabat u għandi tletin sena.

Greetings in Maltese:

Bonġu	*Good morning (informal)*
L-għodwa t-tajba	*Good morning (formal)*
Il-jum it-tajjeb	*Good day*
Lilek ukoll	*Same to you*

LISTEN

A: **Bonġu.**
B: **Bonġu.**
C: **Bonġu Brian.**
B: **Bonġu Anna.**
A: **Bonġu Doris.**
D: **Bonġu Chris.**
B: **Bonġu ma.**
A: **Bonġu Brian**
B: **Bonġu pa.**
C: **Bonġu.**

E: *That was Brian getting up in the morning and exchanging morning greetings with his mother and father. Now listen to Anna and her husband.*

B: **Bonġu**
A: **Bonġu Brian.**
B: **Bonġu Anna.**

E: *When we wish each other a good morning we could also say:*

D: **L-għodwa t-tajba.**
C: **L-għodwa t-tajba.**
A: **L-għodwa t-tajba Brian.**
B: **L-għodwa t-tajba Anna.**
C: **L-għodwa t-tajba Doris.**
D: **L-għodwa t-tajba Chris.**

E: *To wish someone a good day we say:*

A: **Il-jum it-tajjeb**
B: **Lilek ukoll.**

Bonġu

E: *Listen to the reply returning the greetings:*

B: **Lilek ukoll.**

A: **L-għodwa t-tajba Chris.**
C: **Lilek ukoll Anna.**

D: **L-għodwa t-tajba Brian.**
B: **Lilek ukoll Doris.**

A: **Il-jum it-tajjeb Chris.**
C: **Lilek ukoll Anna.**

D: **Il-jum it-tajjeb Brian.**
B: **Lilek ukoll Doris.**

E: *To wish someone a good night you say:*

Il-lejl it-tajjeb

A: **Il-lejl it-tajjeb.**

B: **Il-lejl it-tajjeb Anna.**
A: **Lilek ukoll Brian.**

B: **Il-lejl it-tajjeb ma.**
D: **Lilek ukoll.**
B: **Il-lejl it-tajjeb pa.**
C: **Lilek ukoll Brian.**

C: **Il-lejl it-tajjeb Doris.**
D: **Lilek ukoll Chris.**

Fl-Uffiċċju:

Martin: **Bonġu.**
Skrivan: **Bonġu. X'jismek?**
Martin: **Martin.**

Skrivan:	**X'kunjomok?**
Martin:	**Saliba.**
Skrivan:	**Età?**
Martin:	**Tletin sena.**
Skrivan:	**Miżżewweġ?**
Martin:	**Le.**
Skrivan:	**L-indirizz?**
Martin:	**Id-dar jisimha "Il-Ħolma Tagħna", Triq il-Kampanja, ir-Rabat, SQR 05.**
Skrivan:	**Meta twelidt?**
Martin:	**Fis-sebgħa ta' Marzu. Hawn il-karta ta' l-identitá.**

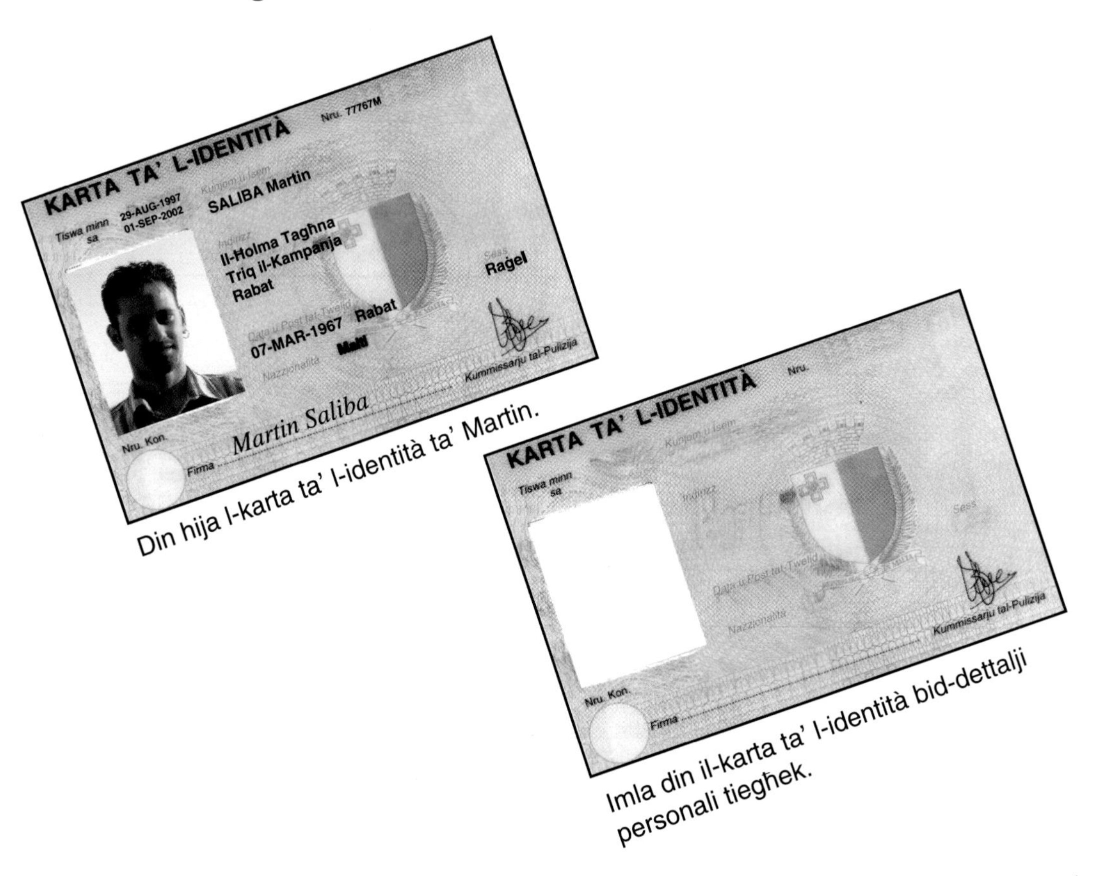

Din hija l-karta ta' l-identità ta' Martin.

Imla din il-karta ta' l-identità bid-dettalji personali tiegħek.

When you want to know someone's name you ask:

Inti x'jismek?	*What's your first name?*
Inti x'kunjomok?	*What's your surname / family name? (singular)*
Intom x'kunjomkom?	*What's your surname / family name? (plural)*

LISTEN

B: **Inti x'jismek?**

A: **Inti x'jismek?**
B: **Jien Brian.**

A: **Inti x'jismek?**
C: **Jien jisimni Chris.**

C: **Inti x'jismek?**
A: **Jien jisimni Anna.**

E: *To know someone's surname you ask:*

B: **X'kunjomok?**

A: **Inti x'kunjomok?**
B: **Jien Muscat.**

A: **Inti x'kunjomok?**
C: **Jien Brincat.**

A: **Intom x'kunjomkom?**
D: **Aħna Vella. Aħna mill-Mosta.**

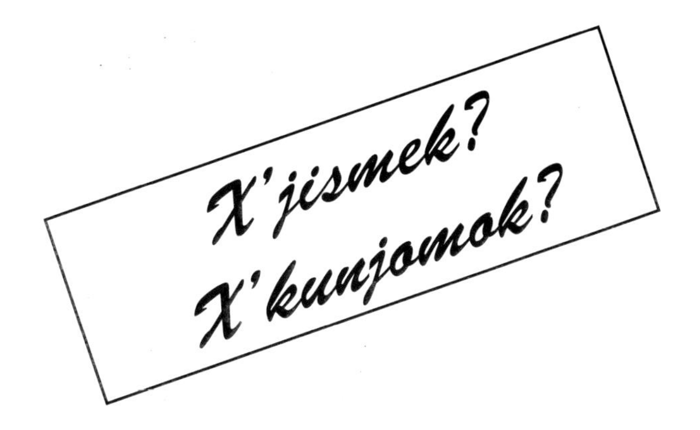

Jien Maltija.
Jien minn Għawdex.
Jien Taljana.
Jien Malti.
Jien mill-Irlanda.

Fejn twelidt?
L-Awstralja!
Intom Maltin?
Le aħna barranin.

L-ALFABETT MALTI

L-alfabett Malti fih tmienja u għoxrin ittra. Tnejn minn dawn huma magħmulin minn żewġ sinjali li jitqiesu ittra waħda. Dawn huma l-"ie" li tirrappreżenta vokali, u l-"għ" li hija konsonanti.
Il-vokali Maltin huma: a, e, i, ie, o, u.
L-ittri l-oħra huma kollha konsonanti.

The Maltese alphabet consists of 28 symbols, two of which consist of two letters each: the "ie" which represents a vowel sound, and the "għ" which is a consonant.
The Maltese vowels are: a, e, i, ie, o, u.
All the other letters are consonants

Dan hu l-alfabett Malti:
This is the Maltese alphabet:

aA	**a**	Anna, Amerka	lL	**le**	le, lira, libsa
bB	**be**	Bella, Belt	mM	**me**	mera, mara
ċĊ	**ċe**	Ċetta, ċoff	nN	**ne**	neħtieġ, naf
dD	**de**	dar, distrett	oO	**o**	orinċ, orgni
eE	**e**	etern, Elena	pP	**pe**	penġa, pittura
fF	**fe**	festa, fenek	qQ	**qe**	qattus, qalziet
ġĠ	**ġe**	ġenn, ġlekk	rR	**re**	re, reġina, riħ
gG	**ge**	gaffa, goff	sS	**se**	sejf, sajf
għ GĦ	**ajn**	għajn, għalaq	tT	**te**	tè, terfa', trid
hH	**akk**a	hawn, hekk	uU	**u**	użin, uri
ħĦ	**ħe**	ħabel, ħajt	vV	**ve**	veru, velu
iI	**i**	ilma, iljunfant	wW	**we**	werċ, wirja
ie IE	**i-e**	ieqaf	xX	**xe**	xemx, xirja
jJ	**je**	jekk	żŻ	**że**	żeffien, żejt
kK	**ke**	kalzetti, kien	zZ	**ze**	zalzett, zopp

ORTOGRAFIJA

Bil-Malti niktbu l-ittri kbar (kapitali) fil-bidu tas-sentenza, meta nirreferu għal ismijiet proprji ta' nies u postijiet, meta niktbu l-ġranet tal-ġimgħa, ix-xhur tas-sena, u l-ismijiet ta' festi u ġrajjiet importanti.
In Maltese, capital letters are used at the beginning of sentences, when referring to proper names and place names, the days of the week, the months of the year, and important feasts and events.

L-"għ" u l-"ie" jinkitbu kollha kapitali – "GĦ" u "IE" – meta jinsabu f'kelma fejn l-ittri kollha huma kapitali:
The letters "għ" and "ie" are written in capital – "GĦ" and "IE" – when all the letters of the word are capital letters:

L-GĦASFUR TAL-BELT
IEQAF U AĦSEB!

Jinkibu "Għ" u "Ie" meta huma biss huma kapitali:

They are written "Għ" and "Ie" when they are the only capital letters in the word:

L-Għasfur tal-bejt
Ieqaf!

GRAMMATIKA

Il-pronomi personali huma:
These are the personal pronouns:

jien/jiena
int/inti
hu/huwa
hi/hija
aħna
intom
huma

Innota l-użu tal-forma interrogattiva "X' ":
Notice the use of "X' " as a question marker:

X'inhu?
X'inhu n-numru?

X'għandna Piet?	***Is-soltu, Ton.***
X'minnek?	***Mhux ħażin, grazzi.***
X'jismek?	***Marku***
X'kunjomok?	***Abela***

Innota l-użu tas-suffiss "k" li jindika t-tieni persuna singular:
Notice the use of the suffix "k" to indicate the second person singular:

X'jismek?
X'kunjomok?
Kif inhi ommok?
Kif inhu missierek?
Kif inhu ħuk?
Kif inhi oħtok?

X'inhu l-indirizz tiegħek?
Kif inhi n-nanna tiegħek?
Kif inhu n-nannu tiegħek?

Bil-Malti nagħmlu differenza bejn il-maskil singular, il-femminil singular u l-plural:
Notice the difference in the reply "I'm fine etc." between the singular masculine, singular feminine and plural persons:

Singular Masculine	*Singular Feminine*	*Plural*
jien tajjeb	**jiena tajba**	**aħna tajbin**
inti tajjeb	**inti tajba**	**intom tajbin**
huwa tajjeb	**hija tajba**	**huma tajbin**

Bil-Malti meta jintroduċuk ma' xi ħadd għall-ewwel darba tgħid:

When you are introduced to someone for the first time, you say:

Għandi pjaċir

U r-risposta tkun:

and the reply is:

Tant ieħor

Jekk lill-persuna tkun diġà tafha, tistaqsiha:

If you already know the person, you ask:

Kif int?

Ir-risposta normalment tkun:

And the reply normally is:

Tajjeb grazzi
Tajba grazzi
Mhux ħażin grazzi

Jekk ikun hemm iktar minn persuna waħda, tistaqsihom:

If there is more than one person, you ask:

Kif intom? Tajbin grazzi

Fil-Malti nagħmlu distinzjoni bejn taħdit formali (bejn nies li ma jafux sew lil xulxin) u taħdit informali (bejn nies li jafu lil xulxin).

Meta nitkellmu formalment normalment nistaqsu:

Formally, you ask:

Kif inti?

fil-waqt li meta nitkellmu informalment ngħidu:

Informally, with close friends, you could ask:

X'minnek?

Ipprattika

Kif inti?
Tajjeb grazzi.

Kif inhu John?
Tajjeb grazzi.

Kif inhi Elena?
Tajba grazzi.

Kif intom?
Tajbin grazzi.

Kif inhuma l-ġenituri?
Hekk u hekk. Insomma.

Kif inhuma t-tfal?
Mhux ħażin grazzi.

Kif inhi ommok?
Marida miskina.

Kif inhu missierek?
Alla jbierku.

Kif inhuma ħutek?
Tajbin, grazzi.

Kif inhi oħtok?
Mhux ħażin, grazzi

Kif inhi n-nanna?
Hekk u hekk.

Kif inhu n-nannu?
Insomma.

Bil-Malti ngħidu:

is-Sur Vella
is-Sinjura Vella
is-Sinjorina Vella

Il-Professur Attard
Il-Professoressa Attard
L-Avukat Żammit
L-Avukatessa Żammit

Sinjur
Sinjura
Sinjorina
Onorevoli (lill-membru parlamentari)
Eċċellenza (lill-President ta' Malta u lill-Isqof)
Rispettabbli (lis-Sindku)

Meta nitkellmu bil-Malti kultant nużaw ukoll il-forom Ingliżi bħal Miss, Mr, Ms u Mrs.

Vokabolarju

Biex tkun tista' tagħti u tirċievi informazzjoni personali trid tkun taf tajjeb in-numri, il-ġranet tal-ġimgħa, u x-xhur tas-sena. B'hekk tkun tista' timla ħafna formoli kif ukoll issir taf lill-persuni iktar mill-qrib.

Il-ġranet tal-ġimgħa huma:
The days of the week are:

it-Tnejn, it-Tlieta, l-Erbgħa, il-Ħamis, il-Ġimgħa, is-Sibt u l-Ħadd.

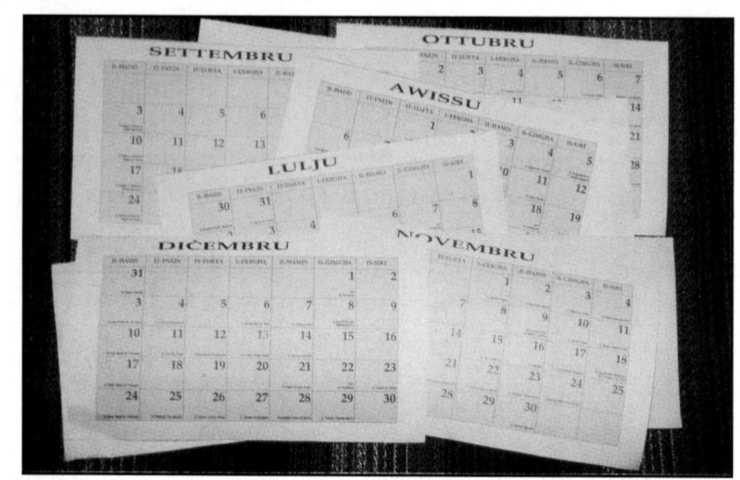

Ix-Xhur tas-sena huma dawn:
The Months of the year are:

Jannar, Frar, Marzu, April, Mejju, Ġunju, Lulju, Awissu, Settembru, Ottubru, Novembru u Diċembru.

L-Istaġuni:
The Seasons:

Il-Ħarifa, ix-Xitwa, ir-Rebbiegħa u s-Sajf.

In-Numri:
The Numbers:

1 **wieħed**	11 **ħdax**	21 **wieħed u għoxrin**	30 **tletin**
2 **tnejn**	12 **tnax**	22 **tnejn u għoxrin**	40 **erbgħin**
3 **tlieta**	13 **tlettax**	23 **tlieta u għoxrin**	50 **ħamsin**
4 **erbgħa**	14 **erbatax**	24 **erbgħa u għoxrin**	60 **sittin**
5 **ħamsa**	15 **ħmistax**	25 **ħamsa u għoxrin**	70 **sebgħin**
6 **sitta**	16 **sittax**	26 **sitta u għoxrin**	80 **tmenin**
7 **sebgħa**	17 **sbatax**	27 **sebgħa u għoxrin**	90 **disgħin**
8 **tmienja**	18 **tmintax**	28 **tmienja u għoxrin**	100 **mija**
9 **disgħa**	19 **dsatax**	29 **disgħa u għoxrin**	
10 **għaxra**	20 **għoxrin**		

Tgħallem għodd in-numri bil-Malti. Ipprattika n-numri wara xulxin sal-mija.

EŻERĊIZZJI

1. Ipprattika ma' sħabek b'eżempji bħal dawn:

Bonġu Sur Parnis, kif inti?
L-għodwa t-tajba Ġann.
L-għodwa t-tajba Sinjura Micallef, kif inhu r-raġel?
Bonġu Karm, kif inhuma t-tfal?
Il-jum it-tajjeb, Sinjorina Grech.
Il-lejl it-tajjeb Profs.

2. Wieġeb

1. **Inti x'jismek?**

Jien jisimni ____.

2. **X'kunjomok?**

Kunjomi ____.

3. **Fejn twelidt?**

Jien twelidt ____.

4. **Fejn toqgħod?**

Noqgħod ____.

5. **X'inhu l-indirizz tiegħek?**

L-indirizz tiegħi huwa ________________________________.

6. **Kif inhi n-nanna tiegħek?**
In-nanna tiegħi tajba, grazzi.

7. **Kif inhu n-nannu tiegħu?**

____.

8. **Kif inhu n-nannu tagħkom?**

____.

9. **Kif inhu n-nannu tagħhom?**

____.

3. Aqra u wieġeb

1. **Inti x'jismek?**

Marika u Simona huma ħbieb.
Marika hi mill-Mellieħa. Simona hi Għawdxija.
Andrew hu mis-Swieqi. Robert joqgħod il-Mosta.
Andrew u Robert huma ħbieb ta' Marika u Simona.

1. **Marika fejn toqgħod?**

Marika toqgħod ______________________________.

2. **Minn fejn hi Simona?**

Simona ______________________________.

3. **Fejn joqgħod Andrew?**

Andrew joqgħod ______________________________.

4. **Minn fejn hu Robert?**

Robert ______________________________.

5. **Andrew u Simona huma ħbieb?**

______________________________.

6. **Marika u Robert huma Maltin?**

______________________________.

7. **Andrew u Robert huma ħbieb?**

____.

8. **Marika u Simona ħbieb?**

____.

4. Imla l-vojt

1. **Andrew** ____________ **Malti.**
2. **Clara** ___________ **Taljana.**
3. **Simona** ___________ **Għawdex.**
4. **Robert** ___________ **Mosta.**
5. **Simona u Robert** ___________ **ħbieb.**

5. Qabbel it-tweġiba mal-mistoqsija

Bonġu	**Tant ieħor**
Kif int?	**Charles**
Għandi pjaċir	**Bonġu**
Inti x'jismek?	**Le**
X'kunjomok?	**Il-bank**
Minn fejn int?	**Iva**
Fejn toqgħod?	**Mhux ħażin**
Inti miżżewweġ?	**Bonanno**
Għandek tfal?	**Mill-Mellieħa**
Fejn taħdem?	**Ngħallem**
X'tagħmel?	**Il-Mosta**

6. Imla l-vojt bil-pronomi personali

1. **Marija** ____________ **Taljana.**
2. **David** ____________ **barrani.**
3. **Anna u Marija** ____________ **Maltin.**
4. ____________ **noqgħod ir-Rabat, Malta.**
5. ____________ **toqgħod Għawdex.**
6. ____________ **noqogħdu l-Ingilterra.**

7. Nipprattikaw

A: **Ara** .... **Kif inti?**

B: ....

A: **Tajba, grazzi. Kif inhuma l-ġenituri tiegħek?**

B: ....

C: **Hello, orrajt? Ħa nintroduċik mal-mara. Din** ....

D: ....

E: **Għandi pjaċir.**

D: ....

AQRA U ISMA'
READ AND LISTEN

A: **Bonġu. Inti x'jismek?**
B: **L-għodwa t-tajba. Jien Brian.**
A: **U x'kunjomok?**
B: **Kunjomi Brincat. Jien mill-Mosta. U inti?**
A: **Jien jisimni Anna. Kunjomi Muscat. Jien minn Għawdex.**
B: **Mela inti Għawdxija. U l-ħabib tiegħek?**
A: **Dan il-ħabib tiegħi.**
C: **Bonġu. Jien Chris. Jien il-ħabib ta' Anna. Jien Malti.**
B: **Inti Malti!**
A: **Iss, anke jien Maltija!**
B: **Minn fejn inti?**
C: **Jien minn Birkirkara.**
B: **X'kunjomok?**
C: **Jien Cefai. U inti Anna x'kunjomok?**
A: **Ħeqq Cardona!**

D: **Bonġu!**
A: **Ara Doris! Din il-ħabiba tiegħi Doris.**
B: **Bonġu Doris. Jien Brian Brincat.**
C: **Bonġu. Jien Chris Cefai.**
D: **Jien kunjomi Vella. Kif inti Anna?**
A: **Tajba grazzi.**
D: **Intom kif intom?**
B u C: **Tajbin grazzi.**
B: **Minn fejn inti Doris? Inti Għawdxija?**
D: **Le, jien minn San Ġiljan.**
B: **Mela Anna biss Għawdxija.**
A: **Aħna kollha Maltin.**

Marija u Shirley jiltaqgħu wara żmien twil:

Marija: **Hello, kif inti?**
Shirley: **Tajba grazzi. Jien Shirley Grech. Inti x'jismek?**
Marija: **Jien Marija.**
Shirley: **X'kunjomok?**
Marija: **Micallef.**
Shirley: **Ismek mhux ġdid. Marija, int mill-Mosta?**
Marija: **Iva.**
Shirley: **Jien Shirley minn San Pawl il-Baħar. Nafek l-iskola.**

Il-Profs Pace jiltaqa' ma' l-Avukat Borġ u s-Sinjura tiegħu:

Profs Pace: **Ara Dr Borg! Kif int?**
Dr Borġ: **Hello, orrajt?**
Profs Pace: **Il-mara kif inhi?**
Dr Borġ: **Hawn qiegħda kumbinazzjoni. Hawn ara, din il-mara tiegħi. Dan il-Profs Pace tal-Botanika.**
Profs Pace: **Għandi pjaċir.**
is-Sinjura Borġ: **Tant ieħor.**
Profs Pace: **It-tfal kif inhuma?**
is-Sinjura Borġ: **Insomma bħalissa bl-influwenza li hawn . . .**

Żewġ żgħażagħ jiltaqgħu f'bar:

Ġuvni: **X'jismek?**
Xebba: **Claudine u int?**
Ġuvni: **Mario. Fejn toqgħod?**
Xebba: **Ħal Lija.**
Ġuvni: **Jien minn tas-Sliema. Kemm għandek żmien?**
Xebba: **Tmintax-il sena.**
Ġuvni: **Jien għadni kif għalaqt għoxrin sena, nhar l-Erbgħa, ħmistax ta' Ottubru.**
Xebba: **Nifraħlek.**
Ġuvni: **Int għarusa?**
Xebba: **Le.**

---

2 FEJN TOQGĦOD?

Fejn toqgħod?
Where do you live?

Jien noqgħod . . .
I live at . . .

il-Mosta

il-Birgu

ir-Rabat

San Ġiljan

Marsaxlokk

is-Swieqi

Jien noqgħod ġo . . .
I live in a . . .

dar moderna

dar antika

flett

villa

razzett

Jien noqgħod
I live in the . . .

fil-kampanja

fit-tarf tar-raħal

fil-pjazza

fil-qalba tar-raħal

f'kantuniera

LISTEN

A: **Hello.**
C: **Hello. Inti Rita?**
A: **Le. Jien Anna. Inti x'jismek?**
C: **Jien Kevin. Nixtieq inkellem lil Rita.**
A: **Hawnhekk l-uffiċċju tas-Sur Brincat.**
C: **Rita hija s-Sinjura Brincat.**
A: **Inti x'kunjomok?**
C: **Jien Kevin Camilleri. Grazzi.**
A: **Grazzi u saħħa.**
C: **Saħħa.**

Għand aġenzija tad-djar:

Paul: **Bonġu! Fiex nista' naqdik?**
Mark: **Nixtieq nixtri dar.**
Paul: **Fejn tixtieq tmur toqgħod?**
Mark: **Qed infittex villa fil-kampanja, xi mkien għall-arja.**
Paul: **Fil-kampanja?**
Mark: **Iva.**
Paul: **Għandi villa. Trid taraha?**
Mark: **Iva.**
Paul: **Ejja miegħi mela.**

Paul u Mark fil-villa:

Hawn għandek villa sabiħa, bi ġnien kbir, u garaxx fuq wara għal żewġ karozzi u l-kumplament.

Paula: **Ara Amanda, kemm ili ma narak! Kif inti?**
Amanda: **Mhux ħażin, grazzi. U int?**
Paula: **Tajba grazzi. Mort noqgħod l-Imtarfa. Qed noqgħod ġo dar ġdida. Għandi żewġ sulari.**
Amanda: **Kemm għandek kmamar?**
Paula: **Għandi tlett ikmamar tas-sodda, salott, kċina, kamra ta' l-ikel, tojlit, xawer, bitħa żgħira, ġnien żgħir fuq wara u garaxx. Fil-bitħa għandi bir kbir ukoll.**

Kemm għandek kmamar?
How many rooms have you got?

Għandi . . .
I have . . .

kamra tas-sodda

kamra tal-banju

kamra ta' l-ikel

salott

kċina

kamra tal-bejt għall-ħasil tal-ħwejjeġ.

Jien noqgħod . . .

Birkirkara
Bormla
Burmarrad
Birżebbuġa
Buġibba
Marsaxlokk
Għajnsielem
Raħal Ġdid
Tas-Sliema
il-Mosta
il-Marsa
il-Mellieħa
il-Birgu
il-Fgura
il-Furjana
il-Ħamrun
il-Gudja
il-Kalkara
il-Madliena
il-Qawra
Ħal Qormi
Ħal Luqa
Ħal Kirkop
Ħal Lija
Ħal Safi
Ħal Tarxien
Ħal Balzan
Ħaż-Żabbar
Ħad-Dingli
Ħ'Attard
San Ġiljan
San Pawl il-Baħar
San Ġwann
Santa Venera
San Lawrenz
l-Imġarr
l-Isla
l-Imqabba
l-Għarb
l-Għasri
is-Siġġiewi
is-Swieqi
ir-Rabat
iż-Żejtun
iż-Żurrieq
iż-Żebbuġ
in-Naxxar
in-Nadur
ix-Xgħajra
ix-Xewkija
ix-Xgħara
. . . kompli int

Inti toqgħod . . .

Franza
Spanja
Iżrael
Ċipru
Singapore
l-Ingilterra
l-Italja
l-Olanda
l-Iżvezja
l-Awstralja
l-Awstrija
l-Arġentina
l-Ungerija
l-Irlanda
l-Eġittu
il-Ġermanja
il-Finlandja
il-Polonja
il-Portugall
il-Ġappun
il-Libja
il-Brażil
iċ-Ċina
id-Danimarka
ir-Rumanija
ir-Repubblika Ċeka
ir-Russja
in-Norveġja
is-Slovakkja
is-Slovenja
is-Sawdi Arabja
it-Tajwan
it-Tuneżija
it-Turkija
. . . kompli int

GRAMMATIKA

Bil-Malti ngħidu:

Il-verb "qagħad"
The verb "to stay" in the imperfect:

jien noqgħod
int toqgħod
hu joqgħod
hi toqgħod
aħna noqogħdu
intom toqogħdu
huma joqogħdu

Il-verb "lagħab"
The verb "to play" in the imperfect:

jiena nilgħab
inti tilgħab
huwa jilgħab
hija tilgħab
aħna nilagħbu
intom tilagħbu
huma jilagħbu

Il-verb "għex"
The verb "to live" in the imperfect:

jien ngħix
inti tgħix
hua jgħix
hija tgħix
aħna ngħixu
intom tgħixu
huma jgħixu

Il-verb "kera"	Il-verb "xtara"	Il-verb "niżel"
To rent"	*"To buy"*	*"To descend"*
nikri	**nixtri**	**ninżel**
tikri	**tixtri**	**tinżel**
jikri	**jixtri**	**jinżel**
tikri	**tixtri**	**tinżel**
nikru	**nixtru**	**ninżlu**
tikru	**tixtru**	**tinżlu**
jikru	**jixtru**	**jinżlu**

ORTOGRAFIJA

L-ittra "għ" tinkiteb bħala " ' " (apostrofu) f'tarf il-kelma.
The letter "għ" is written as an apostrophe " ' " at the end of words.

"Tela'" *"To climb" / "To go up"*	"Waqa'" *"To fall down"*	"Bela'" *"To swallow"*	"Ltaqa'" *"To meet"*
nitla'	**naqa'**	**nibla'**	**niltaqa'**
titla'	**taqa'**	**tibla'**	**tiltaqa'**
jitla'	**jaqa'**	**jibla'**	**jiltaqa'**
titla'	**taqa'**	**tibla'**	**tiltaqa'**
nitilgħu	**naqgħu**	**nibilgħu**	**niltaqgħu**
titilgħu	**taqgħu**	**tibilgħu**	**tiltaqgħu**
jitilgħu	**jaqgħu**	**jibilgħu**	**jiltaqgħu**

PRONUNZJA

Hawnhekk l-"għ" għandha l-ħoss ta' "aw" jew ta' "ow" - it-tnejn huma korretti. Fil-każ tal-kelliema Maltin jiddependi liema varjant ta' Malti jitkellmu!
In the above examples the "għ" can have the sound of "aw" or of "ow", both of which are correct. In the case of Maltese speakers it depends which variant of standard Maltese they speak.

Tista' tgħid:
Other examples:

erbgħin (erbajn/erbejn)
sebgħin (sebajn/sebejn)
disgħin (disajn/disejn)

Kliem bil-"għ" bla ħoss.
In the following the "għ" has no sound.
għandi, għandek, għandu, għandha, għandna, għandkom, għandhom
noqgħod, toqgħod, joqgħod, toqgħod, noqogħdu, toqogħdu, joqogħdu
nilgħab, tilgħab, eċċ.
erbgħa, sebgħa, disgħa, għoxrin

LISTEN

E: *By now you have noticed that when we ask someone their name or surname or about the health of their relatives and friends, we always put "k" at the end. The "k" is called a suffix because it is added to the end of the word.*

A: X'jismek? X'kunjomok? Kif inhi ommok? Kif inhu missierek? Kif inhuma ħutek? Kif inhuma ħbiebek?

E: *You can also ask about someone in particular, for example, "How is your uncle?":*

B: **Kif inhu z-ziju tiegħek?**
E: ***or "your aunt"?***
B: **Kif inhi z-zija tiegħek?**

E: ***"your cousin"?***
B: **Kif inhu l-kuġin tiegħek?**

E: ***"your son"?***
B: **Kif inhu t-tifel tiegħek?**

E: ***or "your daughter"?***
B: **Kif inhi t-tifla tiegħek?**

E: *In these examples we have used the word "tiegħek" meaning "yours". The word "tiegħek" is in fact made up of two parts, the preposition "ta'", meaning "of", and the suffix "k", meaning "the second person singular". Listen to the following examples.*

E: ***How is "your aunt"?***

B: **Kif inhi z-zija tiegħek?**

E: ***and "your cousin"?***

B: **Kif inhu l-kuġin tiegħek?**
B: **Kif inhi l-kuġina tiegħek?**

E: ***"your son"?***
B: **Kif inhu t-tifel tiegħek?**

E: ***and "your daughter"?***
B: **Kif inhi t-tifla tiegħek?**

E: *While the preposition "ta'" remains unchanged for all persons, the suffix changes according to the person we're referring to. For example;*

E: ***my daughter***
C: **it-tifla tiegħi**

E: ***your daughter***
C: **it-tifla tiegħek**

E: ***your wife***
C: **il-mara tiegħek**

E: ***your husband***
C: **ir-raġel tiegħek**

E: ***his son***
C: **it-tifel tiegħu**

E: ***her son***
C: **it-tifel tagħha**

E: ***our house***
C: **id-dar tagħna**

E: ***your house***
C: **id-dar tagħkom**

E: ***your children***
C: **it-tfal tagħkom**

E: ***their house***
C: **id-dar tagħhom**

E: ***their children***
C: **it-tfal tagħhom**

E: ***Listen carefully:***

C: **tiegħi, tiegħek, tiegħu, tagħha, tagħna, tagħkom, tagħhom**

E: *To send your greetings to someone you would say:*

C: **Selli għalih!**

E: ***if he is a male, or***

C: **Selli għaliha!**

E: ***if she is a female, or***

C: **Selli għalihom!**

E: ***in the plural. The reply normally is***

D: **Inservik!**

E: *Now listen to the following brief conversations.*

C: **Bonġu Doris. Kif inti?**
D: **Jien tajba grazzi. U inti?**
C: **Jien tajjeb ukoll. Kif inhi z-zija tiegħek?**
D: **Iz-zija tiegħi mhix ħażin ukoll grazzi.**

A: **Ara Brian. Idħol, kif int?**
B: **Mhux ħażin, grazzi. U inti?**
A: **Tajba grazzi. Kif inhi Mrs Brincat?**
B: **Il-mara tiegħi tajba grazzi. U r-raġel u t-tfal tiegħek?**
A: **Ir-raġel tiegħi tajjeb grazzi, u t-tfal tiegħi wkoll. U t-tfal tagħkom kif inhuma?**
B: **It-tfal tajbin ukoll.**

C: **Hello!**
D: **Hello Chris!**
C: **Hello ma. Kif intom?**
D: **Aħna mhux ħażin grazzi. Kif inhuma t-tfal tagħkom?**
C: **It-tfal tagħna tajbin ukoll. Kif inhuma z-zijiet?**
D: **Iz-zija Marija tajba imma z-ziju Pawlu marid.**
C: **Iva marid miskin! Selli għalih ma.**
D: **Inservik. Inti selli għall-mara u għat-tfal tiegħek.**
C: **Iva. Saħħa ma.**
D: **Saħħa.**

A: **Hello**
D: **Hello Anna**
A: **Bonġu Doris. Kif int?**
D: **Mhux ħażin, grazzi. U inti?**
A: **Jien mhux ħażin grazzi. Imma n-nanna marida.**
D: **In-nanna tiegħek marida?**
A: **Iva, n-nanna Ġuża marida miskina. In-nannu tiegħek kif inhu?**
D: **In-nannu tiegħi tajjeb, grazzi.**
A: **Selli għalih, jekk jogħġbok.**
D: **Iva nservik.**

Ir-relazzjonijiet familjari bil-Malti.
The following terms refer to family relations.

Maskil	*Femminil*	*Plural*
missier	**omm**	**ġenituri**
iben	**bint**	**ulied**
tifel	**tifla**	**tfal**
ħu	**oħt**	**ħut/aħwa**
ziju	**zija**	**zijiet**
kuġin	**kuġina**	**kuġini**
neputi	**neputija**	**neputijiet**
qarib	**qariba**	**qraba**
kunjatu	**kunjata**	**kunjati**
ħabib	**ħabiba**	**ħbieb**

Bil-Malti nistaqsu:
In Maltese we ask:

Dik min hi?
Dak min hu?
Dawk min huma?

Dik fejn nafha?
Dak fejn nafu?
Dawk fejn nafhom?

u nwieġbu:
and reply:

Nafek xi mkien.
Nafu xi mkien.
Nafha xi mkien.
Nafkom xi mkien.
Nafhom xi mkien.

F'Malta, speċjalment fl-irhula, inħobbu nirreferu għan-nies bil-laqam tagħhom.
In some areas in Malta, people still refer to each other by nickname or by reference to other family members, as in the following examples:

Dik it-tifla minn ta' l-Isfar. Joqogħdu l-Imqabba.
Dik minn tat-Turi.
Dak minn ta' l-Aħmar.
Dawk ta' l-Iswed.
Il-laqam tagħhom tal-Qubbajd.
Dawk ta' Testaferrata.
Dik tiġi t-tifla tal-Baruni Inguanez.
Il-mara tiegħu tabiba.
Iz-Ziju ta' Marta qassis.

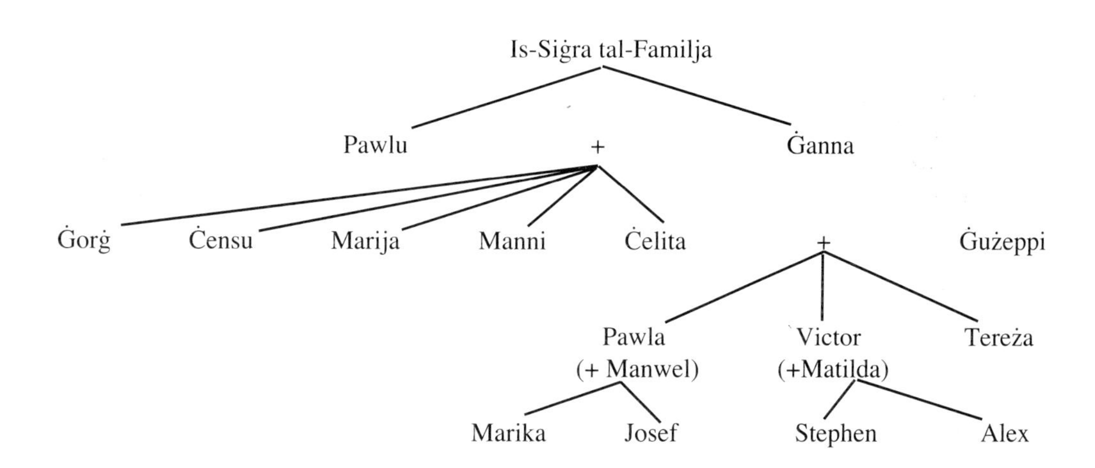

Marika u Josef huma aħwa.
Huma wlied Pawla u Manwel.
Pawla, Victor u Tereża huma wlied Ċelita u Ġużeppi.
Ċelita tiġi bint Pawlu u Ġanna.
Pawlu u Ġanna jiġu l-bużnanniet ta' Marika.
Ċelita u Ġużeppi huma n-nanniet ta' Marika.
Pawla u Manwel huma l-ġenituri ta' Marika.
Tereża tiġi z-zija ta' Marika. Hija armla.
Victor iżżewweġ lil Matilda u għandhom żewġ itfal, Stephen u Alex.
Stephen u Alex huma aħwa u jiġu l-kuġini ta' Marika u Josef.

EŻERĊIZZJI

1. *Wieġeb*
   1. **Min hi omm Marika?**
   2. **Min hi oħt Josef?**
   3. **Min huma l-ġenituri ta' Stephen u Alex?**
   4. **Min huma n-neputijiet ta' Tereża?**
   5. **Min hi omm Tereża?**
   6. **Min huma n-nannu u n-nanna ta' Tereża?**
   7. **Min huma t-tfal ta' Pawlu u Ġanna?**
   8. **Min huma t-tfal ta' Ċelita u Ġużeppi?**

2. *Kemm taħseb li għandhom żmien?*
   1. **Pawlu** ______________________
   2. **Ġanna** ______________________
   3. **Ġorġ** ______________________

   eċċ.

3. *Issa pinġi s-siġra tal-familja tiegħek. Staqsi lil sħabek.*
   1. **Kemm għandek aħwa?**
   2. **Għandek kuġini?**
   3. **Min huma l-ġenituri tiegħek?**
   4. **Kemm għandek zijiet?**
   5. **X'jisimhom in-nanniet tiegħek?**
   6. **Inti miżżewweġ/miżżewġa?**
   7. **Għandek tfal?**
   8. **X'jisimhom?**
   9. **Minn fejn inti?**
   10. **Minn fejn hu r-raġel tiegħek?**
   11. **Min huma l-ħbieb tiegħek?**

4. *Issa se niltaqgħu mal-familja Bonniċi.*

Il-familja Bonnici hi magħmula minn erba' persuni. Il-missier jismu Philip u għandu tletin sena. Il-mara tiegħu jisimha Anna u għandha ħamsa u għoxrin sena. Issa ilhom miżżewġin sitt snin u għandhom żewġt itfal, Odette ta' tliet snin u Mark ta' ħames snin. Dan l-aħħar il-familja Bonniċi marret toqgħod ġo dar ġdida l-Mosta. Philip jaħdem ma' aġenzija privata ta' l-ivvjaġġar waqt li Anna taħdem id-dar. Odette u Mark iħobbu jilagħbu.

Agħżel it-tajba

1. Fir-ritratt hemm (l-omm, in-nanna) mat-(tfal, neputijiet).
2. Il-familja Bonnici magħmula minn (sitta, erba') persuni.
3. Is-Sur u s-Sinjura Bonnici (għandhom, joqogħdu) żewġt itfal.
4. Philip u Anna ilhom (miżżewġin, aħwa) sitt snin.
5. It-(ġenituri, tfal) iħobbu jilagħbu.
6. (Anna, Odette) taħdem id-dar.
7. (Philip, Mark) jaħdem ma' aġenzija privata ta' l-ivvjaġġar.

5. *Staqsi lil sħabek*

1. **Kemm-il sular għandek?**
2. **Fejn toqogħdu?**
3. **Kif inhi d-dar tagħkom?**
4. **Kemm għandkom kmamar?**
5. **Liema kmamar għandkom?**
6. **Fejn qiegħda d-dar?**

6. *Imla l-vojt*

1. **Aħna għandna dar u intom għandkom**
2. **Huma jikru l-flett u hi d-dar.**
3. **Marija toqgħod ma' Aldo mela Aldo ma' Marija.**
4. **It-tifel jgħix m'ommu mela l-omm mat-tifel.**
5. **Intom toqogħdu ġo appartament u aħna ġo razzett.**
6. **Il-bdiewa jgħixu fil-kampanja u l-kappillan fil-belt.**

7. *Imla l-vojt bil-verb*

1. **Jien t-taraġ.**
2. **Inti l-ħobż.**
3. **Il-kuġini l-Imsida.**
4. **In-nanna ħafna żmien.**
5. **In-namrati spiss.**
6. **Marija ħafna ħwejjeġ.**
7. **Missieri fil-kantina għall-inbid.**
8. **Robert flett Buġibba.**
9. **Amanda mal-ħbieb.**
10. **Oħti f'dar antika.**
11. **Inti għoxrin sena.**
12. **In-nanniet ħafna pilloli.**
13. **Intom Marsaxlokk.**

8. *Ikteb dan il-kliem f'numri*

1. **wieħed u erbgħin**
2. **sitta u disgħin**
3. **sebgħa u sebgħin**
4. **ħamsa u sittin**
5. **sebgħa u għoxrin**
6. **tlieta u tletin**
7. **sebgħa u erbgħin**
8. **tnejn u ħamsin**
9. **erbgħa u tmenin**
10. **tmienja u għoxrin**

9. *Qabbel*

din	**ħija**
dan	**aħwa**
dawn	**oħti**
dik	**tabib**
dak	**ħbieb**
dawk	**avukata**

10. *Imla l-vojt bil-kelmiet "din", "dan", "dawn"*

A: "__________ **il-mara tal-Baruni".**
B: **"Għandi pjaċir."**
C: **"Tant ieħor.** __________ **it-tfal tiegħi."**
A: **"Bonġu.** __________ **ir-raġel tiegħi."**
B: **Għandi pjaċir.** __________ **il-mara tiegħi u** __________ **it-tifla tiegħi".**
A: "__________ **it-tfal tagħna."**

11. *Imla l-vojt bil-kelmiet "dik", "dak", "dawk"*

1. __________ **it-tifla tat-Turi.**
2. __________ **it-tifel minn ta' l-Isfar.**
3. __________ **il-kuġini tal-Barunissa Attard.**
4. __________ **il-mara oħt ir-raġel tiegħi.**
5. __________ **il-qassis mill-Mosta.**
6. __________ **joqogħdu l-Birgu.**

AQRA U ISMA'
READ AND LISTEN

C: **Hello.**
D: **Hello, Muscat.**
C: **Inti s-Sinjura Muscat?**
D: **Iva. U inti?**
C: **Jien it-tabib Cefai.**
D: **L-għodwa t-tajba tabib. Kif inti?**
C: **Mhux ħażin, grazzi. Is-Sur Muscat kif inhu?**
D: **Mhux ħażin ukoll.**
C: **U t-tfal?**
D: **It-tfal tajbin ukoll, grazzi. Intom, kif intom?**
C: **Aħna tajbin ukoll, grazzi. Xi sħana llum hux?**
D: **Iva llum ħafna xemx u ħafna sħana.**
C: **Il-bieraħ kien ħafna riħ u llum ħafna xemx.**
D: **Malta għandna ħafna xemx.**

E: *Now we are going to visit Brian at his new home in Buġibba.*

B: **Għaddu, idħlu, kif intom tajbin?**
A: **Hello Brian!**
C: **Haw xbin!**
D: **Bonġu Brian!**
B: **Kif inti Doris?**
D: **Mhux ħażin, grazzi.**
B: **Idħlu fis-salott. Poġġu bilqegħda. X'tixorbu?**
A: **Jien flixkun ilma. Xi sħana!**
B: **Inti Chris?**
C: **Jien flixkun birra, jekk jogħġbok.**
B: **U inti Doris?**
D: **Għalissa xejn, grazzi. Jekk jogħġbok fejn hi l-kamra tal-banju?**
B: **Ejja, idħol ġewwa. Il-kamra tal-banju qiegħda ħdejn il-kċina.**
D: **Kemm għandek dar sabiħa Brian!**
B: **U nsomma, flett iktar milli dar!**
D: **Din il-kamra tas-sodda?**

B: **Iva, dik il-kamra tas-sodda tiegħi. Dan l-istudju, imbagħad għandi l-kċina u din il-kamra tal-banju.**

D: **Brian, il-veru għandek flett ħelu!**

B: **Taf li għandi ġnien żgħir ukoll?**

D: **Ukoll? Prosit tassew!**

---

3 *X'INĦOBB . . . !*

Fir-restorant:

Wejter:	**Tordnaw?**
Marika	**Iva**
Wejter:	**X'tixorbu?**
Marika:	**Jien flixkun ilma, jekk jogħġbok.**
Simona:	**Jien nippreferi l-birra. Inti Andrew?**
Andrew:	**Jien birra wkoll. Robert?**
Robert:	**Jien inbid**
Wejter:	**X'se tieklu?**
Marika:	**Jien se nieħu soppa tal-ħut u denċi.**
Simona:	**Jien prawn cocktail u aċċola.**
Andrew:	**Jien se nieħu spagetti u fenek.**
Robert:	**Jien nippreferi l-lażanja u l-majjal.**
Marika:	**Id-deżerta nordnawha issa jew wara?**
Wejter:	**Kif tridu. Is-soltu jordnawha wara. Tordnaw?**
Simona:	**Aħjar wara, grazzi.**
Wejter:	**O.K.**

(Il-wejter jitlaq u l-ħbieb ikomplu jitkellmu bejniethom)
Robert: **Jien nippreferi l-laħam mill-ħut**
Simona: **Jien inħobb kollox, kemm il-laħam u kemm il-ħut.**
Marika: **Il-ħut jinżilli għasel.**
Andrew: **Jien nippreferi l-fenek għax id-dar ma nsajruhx.**
(Il-wejter iġib l-ikel)
Simona: **L-ikla t-tajba!**
Kulħadd: **L-ikla t-tajba!**
(Ikomplu jitkellmu)
Simona: **Is-sajf magħna!**
Andrew: **Aħjar. Jien inħobbu s-sajf. Nippreferih mix-xitwa.**
Marika: **Fix-xitwa dik il-kesħa, xi dwejjaq!**
Robert: **Jien xorta għalija. Fix-xitwa l-bard u fis-sajf is-sħana!**
Marika: **Imma fis-sajf tista' tmur il-baħar. Intom tħobbu tgħumu?**
Simona: **Jien inħobb ngħum.**
Marika: **Jien inħobb nixxemmex.**
Andrew: **Le, jien ma nħobbx nixxemmex. Nippreferi mmur nistad.**
Robert: **Jien inħobb immur bid-dgħajsa ma' missieri.**

X'se tixrob Marika?
X'se tiekol Marika?
X'se tixrob Simona?
X'se tiekol Simona?
X'se jixrob Andrew?
X'se jiekol Andrew?
X'se jixrob Robert?
X'se jiekol Robert?
X'ħin se jordnaw id-deżerta?

Jien inħobb is-sajf

Jien inħobb . . .	*I like . . .*
Jien inħobb ħafna . . .	*I like very much . . .*
Nippreferi . . .	*I prefer . . .*

LISTEN

E: *Now you are going to learn how to express your wishes and preferences. You will also learn some words relating to food and colour.*
Let us start with "I like the sun very much."

A: **Jien inħobb ħafna x-xemx.**
E: *I like the rain very much*
B: **Jien inħobb ħafna x-xita.**

E: *Other people like the wind very much!*
C: **Jien inħobb ħafna r-riħ!**

E: *What do you like?*
C: **Inti xi tħobb?**
A: **Jien inħobb ħafna x-xemx.**
D: **Jien inħobb ħafna r-riħ.**
C: **Jien ukoll inħobb ħafna r-riħ.**
B: **Jien nippreferi x-xemx.**

E: *What do you prefer?*
D: **X'tippreferi?**
B: **Jien nippreferi x-xemx.**
C: **Jien nippreferi x-xita.**
B: **Tippreferi x-xita?**
C: **Iva, nippreferi x-xita**

E: *What do you like to eat?*
B: **Xi tħobb tiekol?**
A: **Jien inħobb l-ispagetti.**
B: **Jien inħobb il-laħam.**
C: **Jien inħobb il-ħut.**
D: **Jien inħobb il-frott u l-ħaxix.**

E: *Anna likes spaghetti.*
A: **Jien inħobb l-ispagetti.**

E: *Brian likes meat.*
B: **Jien inħobb il-laħam.**

E: *Chris likes fish.*
C: **Jien inħobb il-ħut.**

E: *Doris likes fruit and vegetables.*
D: **Jien inħobb il-frott u l-ħaxix.**

E: *Anna likes to eat spaghetti.*
A: **Jien inħobb niekol l-ispagetti.**

E: *Brian prefers meat.*
B: **Jien nippreferi l-laħam.**

E: *Chris prefers fish.*
C: **Jien nippreferi l-ħut.**

E: *Doris prefers fruit and vegetables.*
D: **Jien nippreferi l-frott u l-ħaxix.**

E: *Anna prefers to eat spaghetti.*
A: **Jien nippreferi niekol l-ispagetti.**

E: *Brian prefers to eat meat.*
B: **Jien nippreferi niekol il-laħam.**

E: *Chris prefers to eat fish.*
C: **Jien nippreferi niekol il-ħut.**

E: *Doris prefers to eat fruit and vegetables.*
D: **Jien nippreferi niekol il-frott u l-ħaxix**

E: *Now we are going to listen to a conversation at the restaurant.*

Brian: **Xi tħobbu tieklu?**
Anna: **Jien inħobb il-ħut. Inti Doris?**
Doris: **Jien inħobb niekol il-frott u l-ħaxix.**
Brian: **Jien nippreferi niekol platt spagetti. Inti xi tħobb Chris?**
Chris: **Jien inħobb il-laħam.**

Brian: **Xi tħobbu tixorbu?**
Anna: **Jien inħobb nixrob l-ilma.**
Brian: **Jien inħobb l-inbid. Inti xi tħobb tixrob Chris?**
Chris: **Jien inħobb nixrob il-birra.**
Anna: **Inti xi tħobb tixrob Doris?**
Doris: **Jien ukoll inħobb nixrob il-birra.**

Nistaqsu	*U nwieġbu*
Xi tħobb?	**Inħobb il-birra**
	Inħobb l-inbid
	Inħobb il-ħut
	Inħobb il-laħam
X'jogħġbok?	**Jogħġobni s-sajf**
	Togħġobni x-xitwa
	Jogħġbuni l-annimali
	Jogħġobni l-isport
X'kulur tippreferi?	**Nippreferi l-iswed**
	Nippreferi l-aħmar
	Inħobb l-aħdar
	Inħobb l-isfar
	Jogħġobni l-abjad
	Jogħġobni l-blu
	Inħobb nilbes kannella
	Inħobb nilbes il-griż
X'tippreferi?	**Nippreferi l-laħam**
	Nippreferi l-ilma
	Nippreferi nsiefer
	Nippreferi ngħum
X'se tixrob?	**Se nixrob flixkun birra**
	Se nixrob tazza nbid
	Se nixrob larinġa
	Se nixrob grogg whisky
X'se tiekol?	**Se niekol stuffat tal-fenek**
	Se niekol għaġin il-forn
Tħobbu l-ħut?	**Ħafna**
Tħobbu l-laħam?	**Ma tantx**
Tħobbha l-minestra?	**Lanqas xejn**
Tħobbha l-patata l-forn?	**Insomma**
Tixorbu l-inbid?	**Xi tazza kultant**
Tixrobha l-birra?	**Kważi qatt**
Tixrob ilma?	**Dejjem**
Liema staġun tħobb?	**Togħġobni x-xitwa**
X'passatemp għandek?	**Il-passatemp preferit tiegħi huwa s-sajd**
X'tieħu gost tagħmel?	**Nieħu gost ngħum**
X'tiddejjaq tagħmel?	**Niddejjaq nixxemmex**
X'tippreferi tagħmel?	**Nippreferi naqra ktieb milli nara t-T.V.**

X'inhu l-ikel favorit tiegħek?
eż. L-ikel preferit tiegħi huwa r-ravjul.

Għandek xi annimal għal qalbek?
eż. Iva l-iktar annimal li nħobb huwa l-qattus.

Ma' min iżżomm fil-futbol?
L-iktar tim għal qalbi hu l-Brażil.

Marika u Simona jiltaqgħu quddiem ħanut tal-ħwejjeġ.

Marika: **Simona, orrajt?**
Simona: **Ara Marika. Kif int?**
Marika: **Tajba grazzi, u int?**
Simona: **Mhux ħażin grazzi.**
Marika: **Togħġbok dik il-libsa?**
Simona: **Ħafna!**

Robert u Andrew jmorru l-grawnd nazzjonali f'Ta' Qali biex jaraw logħba futbol.

Robert:	**Andrew!**
Andrew:	**Robert! Kemm ili ma narak. Kif int?**
Robert:	**Tajjeb grazzi. Int, kif int?**
Andrew:	**Mhux ħażin, grazzi.**
Robert:	**Jogħġbok il-futbol?**
Andrew:	**Iva, nħobb niġi Ta' Qali.**
Robert:	**Jien ukoll. Nippreferi l-futbol minn kull sport ieħor!**

GRAMMATIKA

Se + l-Imperfett

Biex nagħtu tifsira fil-futur (qarib jew imbiegħed) inżidu l-kelma 'se' quddiem il-verb fl-imperfett.
The word "se" in front of the verb in the imperfect gives a future meaning or a meaning of intention:

Intom x'se tordnaw?
Se nordnaw il-ħut.

Inti x'se tixrob?
Jien se nixrob il-birra.

Marija x'se tiekol?
Marija se tiekol il-laħam.

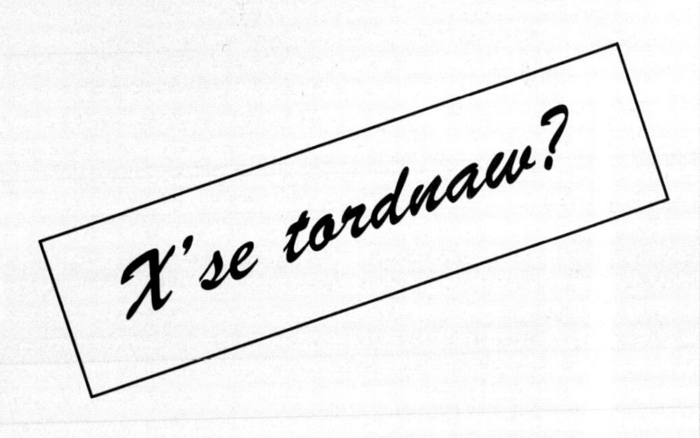

X'se tagħmlu?
Aħna se mmorru Għajn Tuffieħa.

Alfred kif se jmur?
Alfred se jmur bil-karozza tiegħu.

Inti fejn se tmur?
Jien se mmur id-dar.

<u>L-artiklu</u>
Meta tuża l-artiklu tkun qed turi eżattament liema trid:
The article defines who or which you are referring to:

Liema trid?

il-laħam il-ħut il-birra

LISTEN

E: *By now you have probably noticed the difference between those nouns preceded by a definite article such as:*

A: **il-libsa, il-gowl, il-logħba, il-ġersi, it-T-shirt.**

E: *and indefinite nouns, without an article:*

B: **libsa, gowl, logħba, ġersi, T-shirt**

E: *There is more than one way of pronouncing the definite article, depending on the first letter of the noun which it preceeds. The most common article is:*

A: **il-**
B: **il-**

E: *You already know:*

A: **il-jum, il-lejl, il-Maltin, il-ħabib, il-ħabiba, il-mamà, il-papà, il-maltemp, il-mara, il-Mosta.**

E: *Sometimes, however, you only hear:*

A: **l-**
B: **l-**

E: *This happens either when the noun starts with a vowel sound, for example:*

C: **l-għodwa, l-Għawdxin, l-aħwa, l-aħmar, l-aħdar, l-arloġġ, l-inbid, l-uffiċċju, l-ikel, l-ewwel, l-Italja, l-Ingilterra.**

E: *or when the preceeding word ends in a vowel, as in the following phrases:*

D: **ara l-mamà, dina l-ħabiba tiegħi, nippreferi l-laħam, iħobbu l-ħut, nieklu l-frott**

E: *Then, there are a number of consonants that take an article which sounds like the first consonant of the noun. They are the following:*

D: **iċ-, id-, in-, ir-, is-, it-, ix-, iż-, iz-**

E: *as in the following words:*

A: **iċ-ċavetta, iċ-ċoff, iċ-ċikkulata, iċ-ċajta**
B: **id-dar, id-deżerta, id-dublett, id-dbielet**
C: **in-nannu, in-nanna, in-neputi, in-numri**
D: **ir-raġel, ir-Rabat, ir-riħ, ir-ragħad, ir-raba', ir-roża**
A: **is-sajf, is-sinjur, is-sħana, is-soltu**
B: **it-tajjeb, it-tifla, it-tifel, it-tfal, it-tabib, it-tabiba**
C: **ix-xita, ix-xemx, ix-xitwa**
D: **iż-żarbun, iż-żiemel**
A: **iz-zalza, iz-ziju, iz-zija**

E: *Now listen to the difference in the sound between the indefinite and definite nouns:*

A:	B:
abjad	l-abjad
aħdar	l-aħdar
aħmar	l-aħmar
iswed	l-iswed
isfar	l-isfar

C:	D:
qalziet	il-qalziet
fenek	il-fenek
flixkun	il-flixkun
libsa	il-libsa
programm	il-programm

A:	B:
tnejn	it-tnejn
tlieta	it-tlieta
sitta	is-sitta
dar	id-dar
għada	l-għada

L-artiklu fil-Malti huwa "l-" jew "il-" għall-biċċa l-kbira tal-kliem. Jieħdu "l-" jekk il-kelma ta' qabel l-artiklu tkun tispiċċa bil-vokali, u "il-" jekk il-kelma ta' qabel l-artiklu tkun tispiċċa bil-konsonanti.

Inħobb il-qtates.
Ħadu l-qtates.

Ħareġ il-kelba.
Ġabu l-kelba magħhom.

Hemm ukoll xi ftit kliem li jieħu "l-i"

spagetti	l-ispagetti
stuffat	l-istuffat
nbid	l-inbid
skola	l-iskola

Dak il-kliem li jibda bl-ittri: ċ, d, n, r, s, t, x, ż, z, jibdel "l-" fl-ewwel ittra tal-kelma kif jidher fl-eżempji.

X'tippreferi?

iċ-ċikkulata	iċ-ċerna
id-denċi	id-deżerta
in-nies	in-nadif
ir-ras	ir-ross
is-sajf	is-sigaretti
it-tewm	it-tuffieħ
ix-xitwa	ix-xaħam
iż-żebbuġ	iż-żarmuġ
iz-zokk	iz-zunnerija

Jien għandi tifel

Jien għandi tifel.
It-tifel tiegħi jismu Eric.

Jien inħobb l-annimali kollha.
Eric iħobb il-qtates u David iħobb il-klieb.

Fil-Malti meta nitkellmu fil-preżent ngħidu:

"Ordna" *"To order"*	"Ħa" *"To take"*	"Xorob" *"To drink"*	"Kiel" *"To eat"*	"Ħabb" *"To like"*
nordna	**nieħu**	**nixrob**	**niekol**	**inħobb**
tordna	**tieħu**	**tixrob**	**tiekol**	**tħobb**
jordna	**jieħu**	**jixrob**	**jiekol**	**jħobb**
tordna	**tieħu**	**tixrob**	**tiekol**	**tħobb**
nordnaw	**nieħdu**	**nixorbu**	**nieklu**	**nħobbu**
tordnaw	**tieħdu**	**tixorbu**	**tieklu**	**tħobbu**
jordnaw	**jieħdu**	**jixorbu**	**jieklu**	**jħobbu**

Ngħidu wkoll:
We also say:

inħobb niekol	**inħobb nixrob**	**inħobb nilbes**
tħobb tiekol	**tħobb tixrob**	**tħobb tilbes**
iħobb jiekol	**iħobb jixrob**	**iħobb jilbes**
tħobb tiekol	**tħobb tixrob**	**tħobb tilbes**
inħobbu nieklu	**inħobbu nixorbu**	**inħobbu nilbsu**
tħobbu tieklu	**tħobbu tixorbu**	**tħobbu tilbsu**
iħobbu jieklu	**iħobbu jixorbu**	**iħobbu jilbsu**

GRAMMATIKA

In-Negattiv
The Negative

In-negattiv bil-Malti niffurmawh billi nżidu "ma ____________ x":
To form the negative in Maltese we add "ma ______________x":

nista' – **ma nistax**
noqgħod – **ma noqgħodx**
tixtri – **ma tixtrix**
nikru – **ma nikrux**

jien inħobb	**jien ma nħobbx**
int tħobb	**int ma tħobbx**
hu jħobb	**hu ma jħobbx**
hi tħobb	**hi ma tħobbx**
aħna nħobbu	**aħna ma nħobbux**
intom tħobbu	**intom ma tħobbux**
huma jħobbu	**huma ma jħobbux**
jien nieħu	**jien ma niħux**
int tieħu	**int ma tiħux**
hu jieħu	**hu ma jiħux**
hi tieħu	**hi ma tiħux**
aħna nieħdu	**aħna ma niħdux**
intom tieħdu	**intom ma tiħdux**
huma jieħdu	**huma ma jiħdux**
jien niekol	**jien ma nikolx**
int tiekol	**int ma tikolx**
hu jiekol	**hu ma jikolx**
hi tiekol	**hi ma tikolx**
aħna nieklu	**aħna ma niklux**
intom tieklu	**intom ma tiklux**
huma jieklu	**huma ma jiklux**

jien nordna	**jien ma nordnax**
int tordna	**int ma tordnax**
hu jordna	**hu ma jordnax**
hi tordna	**hi ma tordnax**
aħna nordnaw	**aħna ma nordnawx**
intom tordnaw	**intom ma tordnawx**
huma jordnaw	**huma ma jordnawx**
jien inħobb nixrob	**jien ma nħobbx nixrob**
int tħobb tixrob	**int ma tħobbx tixrob**
hu jħobb jixrob	**hu ma jħobbx jixrob**
hi tħobb tixrob	**hi ma tħobbx tixrob**
aħna nħobbu nixorbu	**aħna ma nħobbux nixorbu**
intom tħobbu tixorbu	**intom ma tħobbux tixorbu**
huma jħobbu jixorbu	**huma ma jħobbux jixorbu**
jien inħobb nilbes	**jien ma nħobbx nilbes**
int tħobb tilbes	**int ma tħobbx tilbes**
hu jħobb jilbes	**hu ma jħobbx jilbes**
hi tħobb tilbes	**hi ma tħobbx tilbes**
aħna nħobbu nilbsu	**aħna ma nħobbux nilbsu**
intom tħobbu tilbsu	**intom ma tħobbux tilbsu**
huma jħobbu jilbsu	**huma ma jħobbux jilbsu**

ORTOGRAFIJA

Fin-Negattiv ta' kliem li jispiċċa bil- "għ", l- "għ" taqa' fl-aħħar tal-kelma.
In the negative, word final "għ" disappears:

jien nitla'	**jien ma nitlax**
int titla'	**int ma titlax**
hu jitla'	**hu ma jitlax**
hi titla'	**hi ma titlax**
aħna nitilgħu	**aħna ma nitilgħux**
intom titilgħu	**intom ma titilgħux**
huma jitilgħu	**huma ma jitilgħux**
jien naqa'	**jien ma naqax**
int taqa'	**int ma taqx**
hu jaqa'	**hu ma jaqax**
hi taqa'	**hi ma taqax**
aħna naqgħu	**aħna ma naqgħux**
intom taqgħu	**intom ma taqgħux**
huma jaqgħu	**huma ma jaqgħux**

jien nibla'	**jien ma niblax**
int tibla'	**int ma tiblax**
hu jibla'	**hu ma jiblax**
hi tibla'	**hi ma tiblax**
aħna nibilgħu	**aħna ma nibilgħux**
intom tibilgħu	**intom ma tibilgħux**
huma jibilgħu	**huma ma jibilgħux**
jien niltaqa'	**jien ma niltaqax**
int tiltaqa'	**int ma tiltaqax**
hu jiltaqa'	**hu ma jiltaqax**
hi tiltaqa'	**hi ma tiltaqax**
aħna niltaqgħu	**aħna ma niltaqgħux**
intom tiltaqgħu	**intom ma tiltaqgħux**
huma jiltaqgħu	**huma ma jiltaqgħux**

PRONUNZJA

Il-ħoss ta' l-"għ" fi tmiem il-kelma.
Meta l-"għ" tinkiteb fit-tarf tal-kelma tinqara bħala "ħe".
When the "għ" is found at the end of the word it is pronounced as "ħe".

biegħ	**Pawlu biegħ il-karozza.**
żebagħ	**Ir-raġel żebagħ il-bieb.**
foroghħ	**Il-baħar foroghħ.**
qliegħ	**Il-ħanut iħalli ħafna qliegħ.**
uġigħ	**Il-marid iħoss ħafna uġigħ.**
żrieragħ	**Dawn iż-żrieragħ kollha tajbin.**
żgħażagħ	**Iż-żgħażagħ iħobbu jmorru Paceville.**

Xi drawwiet relatati mal-ħin tal-mistrieħ

Biex wieħed jistrieħ jista' jagħmel ħafna affarijiet, bħal ngħidu aħna:

imur jiekol f'xi restorant mal-ħbieb
imur jixrob fil-bar mal-ħbieb
imur jistad għall-ħut
imur jixxemmex ħdejn il-baħar
imur jgħum
isiefer
joqgħod isajjar, jaqra
jipprattika xi sport
idoqq xi strument
jaħdem l-injam

LISTEN

Simona: **Is-sajf magħna!**
Andrew: **Aħjar. Jien inħobbu s-sajf. Nippreferih mix-xitwa.**
Marika: **Fix-xitwa dik ix-xita, xi dwejjaq!**
Robert: **Jien xorta għalija. Fix-xitwa x-xita u fis-sajf is-sħana!**
Marika: **Imma fis-sajf tista' tmur il-baħar. Intom tħobbu tgħumu?**
Simona: **Jien inħobb ngħum.**
Marika: **Jien inħobb nixxemmex.**

E: *You have just heard friends talk about the things they like, winter, summer, the sun and the sea. Now we are going to talk about things we like.*

A: **Inti xi tħobb?**
E: *What do you like?*
A: **Inti xi tħobb?**

B: **Inti xi tħobb Chris?**
C: **Jien inħobb il-birra.**
E: *Chris likes beer.*
C: **Inħobb il-birra. Inti xi tħobb Brian?**
B: **Inħobb l-inbid.**
E: *Brian likes wine.*
A: **Inti xi tħobb Doris?**
D: **Jien inħobb nixrob l-ilma.**

E: *Doris likes to drink water.*
D: **Jien inħobb nixrob l-ilma. U inti Anna?**
A: **Jien inħobb nixrob il-ħalib.**
E: *Anna likes to drink milk.*
A: **Jien inħobb nixrob il-ħalib.**

E: *What do you like to eat?*

A: **Xi tħobb tiekol?**

B: **Inħobb il-ħut.**
E: *I like fish.*
B: **Inħobb il-ħut.**
E: *I like meat.*
C: **Inħobb il-laħam.**
E: *I like to eat pasta.*
D: **Jien inħobb niekol l-għaġin.**
E: *I like to eat fruit and vegetables.*
A: **Jien inħobb niekol il-frott u l-ħaxix.**

E: *There are various ways of replying to the question , "Do you like something?"*

A: **Tħobbu l-ħut Doris?**
D: **Ħafna.**
E: *Doris likes fish very much.*
A: **Tħobbu l-ħut Doris?**
D: **Ħafna.**

A: **Inti tħobbu l-laħam Brian?**
B: **Ma tantx.**
E: *Brian does not like meat very much.*
A: **Inti tħobbu l-laħam Brian?**
B: **Ma tantx.**

A: **Inti tħobbu l-għaġin Chris?**
C: **Lanqas xejn.**
E: *Chris does not like pasta at all.*
A: **Inti tħobbu l-għaġin Chris?**
C: **Lanqas xejn.**

B: **Inti tħobbha l-minestra Anna?**
A: **Insomma. Fis-sajf le, imma fix-xitwa iva.**
E: *Anna says she does not always like minestra. She does not like it in summer but she likes it in winter.*
B: **Inti tħobbha l-minestra Anna?**
A: **Insomma. Fis-sajf le, imma fix-xitwa iva.**

B: **Inti tħobbha l-birra Chris?**
C: **Ħafna.**
B: **Inti tħobbu l-whisky Anna?**
A: **Insomma.**
C: **Inti tħobbu l-inbid Doris?**
D: **Ma tantx.**
C: **U inti Anna. Tħobbu l-inbid?**
A: **Lanqas xejn.**

D: **Min iħobbu l-baħar?**
A: **Jien inħobbu ħafna l-baħar.**
B: **Jien insomma.**

D: **Min iħobbu s-sajf?**
C: **Jien inħobbu ħafna s-sajf.**
B: **Le, lanqas xejn ma nħobbu, dik is-sħana, xi dwejjaq.**

B: **Min jixrob ħafna ilma?**
A: **Jien nixrob ħafna ilma. Inti Doris tħobbu l-ilma?**
D: **Ħafna nħobbu. Jien inħobb nixrob ħafna ilma.**
B: **Kemm tixrob?**
A: **Jien nixrob xi tazza kultant.**
E: *Anna drinks a glass every now and again.*
B: **Kemm tixrob?**
A: **Jien nixrob xi tazza kultant.**
B: **U inti Chris?**
C: **Jien kważi qatt.**
E: *Almost never.*
C: **Kważi qatt.**

E: *Notice how the negative can be formed in Maltese.*

A: **Jien inħobb nixrob l-ilma.**
C: **Jien ma nħobbx nixrob l-ilma.**

B: **Jien inħobb noħroġ mal-ħbieb nhar ta' Sibt.**
D: **Jien ma nħobbx noħroġ mal-ħbieb nhar ta' Sibt.**
E: *Doris does not like to go out with friends on Saturdays.*
D: **Jien ma nħobbx noħroġ mal-ħbieb nhar ta' Sibt.**

E: *Notice that to form the negative, the word*

A: **ma**
E: *is put in front of the verb which ends in*
A: **x**
E: *for instance*
A: **ma nħobbx, ma nikolx, ma nixrobx, ma noħroġx**

E: *I don't like to run.*
C: **Jien ma nħobbx niġri.**
E: *I don't like to sleep.*
D: **Jien ma nħobbx norqod.**
E: *I don't run every morning.*
C: **Jien ma niġrix kull filgħodu.**
E: *I don't sleep in the afternoon.*
D: **Jien ma norqodx wara nofs in-nhar.**
E: *I don't drink alcohol.*
A: **Jien ma nixrobx alkoħol.**
E: *I don't smoke.*
B: **Jien ma npejjipx.**

EŻERĊIZZJI

1. ***Erġa' aqra . . . u wieġeb dawn il-mistoqsijiet***
1. **Xi żmien kien?**
2. **Andrew liema żmien tas-sena jħobb?**
3. **Simona tħobb tgħum?**
4. **Xi tħobb tagħmel Marika fis-sajf?**
5. **Xi jħobb jagħmel Andrew fis-sajf?**
6. **Xi jħobb jagħmel Robert fis-sajf?**

2. ***Staqsi ftit mistoqsijiet bħal dawn lil sħabek.***
1. **Inti xi tħobb tiekol?**
2. **Xi tħobb tixrob?**
3. **Xi tħobb tagħmel fis-sajf, fix-xitwa?**
4. **X'passatemp għandek?**
5. **Liema staġun tħobb?**
6. **Għandek xi annimal għal qalbek?**
7. **Tħobbu l-isport? Liema sport tippreferi?**
8. **Tħobb tistad? Tħobb tixxemmex?**
9. **Għandek dgħajsa? Tħobb tmur bid-dgħajsa?**

3. *X'kienet il-mistoqsija?*

1. ________________ ? **Jien flixkun birra.**
2. ________________ ? **Jien spagetti.**
3. ________________ ? **Nippreferi l-ħut mil-laħam.**
4. ________________ ? **Nippreferi x-xitwa.**
5. ________________ ? **Nieħu gost ngħum.**
6. ________________ ? **Inħobb niekol l-għaġin il-forn.**
7. ________________ ? **Xi platt kultant.**
8. ________________ ? **Le, lanqas xejn.**
9. ________________ ? **Inħobb il-qtates.**
10. ________________ ? **Inżomm mal-Ġermanja.**

4. *Imla l-vojt*

1. **Jien** _______ _______ **it-tuffieħ.**
2. **Iz-zija** _______ _______**il-birra.**
3. **Marija** _______ _______**l-abjad.**
4. **Aħna** _______ _______ **l-ilma.**
5. **Inti** _______ _______ **il-ħut?**
6. **Huma** _______ _______ **l-iswed.**
7. **Jien** _______ _______**l-inbid.**
8. **Eric** _______ _______ **iċ-ċikkulata.**

Jien inħobb l-annimali. Nhar il-Ħadd mort il-ġnien ta' Sant Anton. Hemmhekk hemm ħafna annimali. Hemm fniek, tiġieg, papri, għasafar, ħut, xi qattus u xi kelb. Minn dawn liema tħobb tiekol?

Poġġi l-artiklu quddiem kull annimal.

5. ***Imla l-vojt***

1. ______ -fniek tajbin għall-ikel.
2. Nippreferi ______ -tiġieġ.
3. ______ -qtates u ______ -klieb huma l-annimali favoriti tiegħi.
4. ______ -nannu għandu razzett.
5. Fir-razzett għandu ______ -nagħaġ.
6. Liema trid? Irrid ______ -ċikkulata.
7. X'tippreferi? Nippreferi ______ -laħam.
8. Xi tħobb? Inħobb______ -ħut.
9. X'tixrob? Nixrob ______-inbid.
10. X'se tiekol? Se niekol ______ -ispagetti.

6. ***Wieġeb dawn id-domandi fin-negattiv***

1. Pietru u Pawlu joqogħdu r-Rabat?
Le, Pietru u Pawlu _____ _____ ir-Rabat.
2. Marija tgħix Malta?
Le, Marija _____ _____ Malta.
3. Frank jikri flett fis-sajf?
Le, Frank _____ _____ flett fis-sajf.
4. Aħna nieklu l-laħam kuljum?
Le, aħna _____ _____ il-laħam kuljum.
5. Intom tħobbu tixtru ħafna ikel?
Le, aħna _____ _____ ħafna ikel.
6. Inti tħobb tixrob il-birra?
Le, jien _____ _____ il-birra.
7. Inti tħobb tiekol il-fenek?
Le, _____ _____ il-fenek.
8. Ommok toqgħod il-Mosta?
Le, ommi _____ _____ il-Mosta.
9. Fix-xitwa tħobb tinżel tgħum?
Le, fix-xitwa _____ _____ .
10. Fis-sajf tħobb tixxemmex?
Le, fis-sajf _____ _____ .

7. ***Ikteb 2 sentenzi b'kull sett ta' kliem***

Eżempju: tħobb, ma tħobbx
(spagetti, brodu)
Jien inħobb l-ispagetti. Jien ma nħobbx il-brodu.

1. **(iċ-ċikkulata, il-frott)**
2. **(is-sajf, ix-xitwa)**
3. **(l-aħmar, il-blu)**
4. **(il-qtates, il-klieb)**
5. **(il-laħam, il-ħut)**

tixtri, ma tixtrix
1. **(frott, ħaxix)**
2. **(laħam, ħut)**
3. **(birra, inbid)**
4. **(dgħajsa, vapur)**
5. **(sigaretti, tuffieħ)**

tmur, ma tmurx
1. **(tgħum, tixxemmex)**
2. **(tilgħab, tistad)**
3. **(tiekol, tixrob)**
4. **(tixtri, tikri)**
5. **(tara film, tara dramm)**

AQRA U ISMA'
READ AND LISTEN

Għand ħanut taż-żraben.

Tal-ħanut:	**Fiex nista' naqdik?**
Klijenta:	**Nista' nara dan il-papoċċ, jekk jogħġbok?**
Tal-ħanut:	**X'daqs tilbes?**
Klijenta:	**Tnejn u erbgħin.**
Tal-ħanut:	**X'kulur tippreferi?**
Klijenta:	**Iswed. Nista' nippruvah?**
Tal-ħanut:	**Iva hemmhekk fuq il-banketta.**
Klijenta:	**Nista' nipprova wkoll dak iż-żarbun li hemm fil-vetrina?**
Tal-ħanut:	**Mela le. Tħobb tilbes il-papoċċi?**
Klijenta:	**Le. Nippreferi ż-żraben. Tajbin it-tnejn ħa nixtrihom. Kemm jiġu?**
Tal-ħanut:	**Tmintax-il lira t-tnejn.**
Klijenta:	**Grazzi u saħħa.**

POEŻIJA

X'inħobb – ma nħobbx il-Gwerra
Dun Karm Psaila
Poeta Nazzjonali

Inħobb fuq kollox 'l Alla li ħalaqni
U tani l-jedd li ngħix; ma nħobbx il-gwerra;
Inħobb il-Knisja tiegħu li twettaqni
F'dak li ħabbarli Hu; ma nħobbx il-gwerra.

Inħobb l-art ta' twelidi li trejjaqni
Bil-ħobż minn tagħha bnin; ma nħobbx il-gwerra;
Inħobb dik il-bandiera li sseddaqni
Flimkien ma' ħuti hawnhekk; ma nħobbx il-gwerra.

Inħobb il-paċi li bid-daħka tagħha
Thenni s-smewwiet u l-art; ma nħobbx il-gwerra;
għax niket, biża' u mewt imorru magħha.

Inħobb il-għaqda li ma tafx bil-herra;
Inħobb il-ħaqq u s-sewwa, nħobb is-saħħa
Li taħdem għal kulħadd; ma nħobbx il-gwerra.

4 VAGANZA F'MALTA

Tluq mill-Awstralja

Nhar is-Sibt li ġej filgħodu l-familja Bartolo se ssiefer lejn Malta. Se jitilqu mid-dar fis-sebgħa ta' filgħodu peress li għandhom 'il bogħod għall-ajruport. L-ajruplan għal Singapore jitlaq fl-għaxra u għaxra. Sakemm ikunu qed jistennew fil-kjù taċ-*'check in'* għandhom jiltaqgħu mal-ħbieb tagħhom li ġejjin magħhom fuq l-istess ajruplan ta' l-Air Malta.

Meta jaslu Singapore jinżlu mill-ajruplan biex jaqbdu ieħor dirett lejn Malta.

Fl-ajruport:

Marta:	**Ara Doris. Ilek li wasalt?**
Doris:	**Ilni xi kwarta. Aħjar immorru fil-kjù għax ġejjin ħafna turisti f'salt.**
Marta:	**Din il-bagalja biss għandek?**
Doris:	**Din il-bagalja l-ħadra. U l-handbag. Din tiegħek?**
Marta:	**Ija. Aħjar noħroġ il-passaport u l-biljett bil-lest.**
Doris:	**Il-biljett, il-passaport . . . u x'għandna bżonn iżjed?**
Marta:	**Il-karta ta' l-imbarkazzjoni. Waħda kull wieħed.**
Doris:	**Aħna jmiss fiċ-check in. Ejja.**

il-karta ta' l-imbarkazzjoni:

MALTA

KARTA TAT-TLUQ/WASLA
DIS/EMBARKATION CARD
CARTA D'IMBARCO E SBARCO
CARTE D'EMBARQUEMENT
EIN-AUSREISEKARTE
بطاقة رحيل ووصول

Numru tat-titjira
Flight No.
Numero di volo
Nombre de voi
Flugnummer
رقم الرحلة

JEKK JOGHGBOK UZA ITTRI KBAR / PLEASE USE BLOCK LETTERS
PER CORTESIA SCRIVERE A STAMATELLE / VEUIELLEZ REMPLIR EN LETTRES MAJUSCULES
BITTE DEUTLICH IN DRUCHSCHRIFT / اكتب واضحاً بحروف اللاتينية

1. Kunjom / Surname / Cognome / Nom / Name / اللقب

5. Sess / Sex — F
Sesso / Sexe — M
Geschlech / الجنس

2. Kunjum xbubitek / Maiden surname / Nome da nubile / Nom de jeune fille / Madchenname / اللقب قبل الزواج

6. Nazzjonalità / Nationality
Nazionalita / Nationalite
Nationanal / الجنسية

3. Isem / First name / Nome / Prenom(s) / Vorname(n) / الإسم

7. Impjieg / Occupation
Occupazione / Profession
Beruf / المهنة

4. Meta u fejn twelidt / Date and place of birth / Data e luogo di nascita / Date et lieu de naissance / Geburstdatum und ort
تاريخ ومحل الولادة

8. Ghan taz-zjara / Purpose of stay
Motivo di visita / La but de sejour
Zweck von aufenthalt / غرض السفر

9. Nru. tal-passaport / Passport no.
Passaporto n. / Passeport no.
Retsepass no. / رقم جواز السفر

10. Data u post min fejn mahrug / Date & place of issue
Data e luogo di emissione / Date de deliverance
Datum und ausstellungsort / تاريخ ومحل الإصدار

11. Indirizz permanenti / Permanent address / Indirizzo permanente / Adresse fixe/Ständige adresse / العنوان الدائم

12. Indirizz f'Malta / Address in Malta / Indirizzo a Malta / Adresse a Malte / Adresse in Malta
العنوان في مالطا

13. Firma / Signature / Firma / Signature / Unter achrift / التوقيع

Fuq l-ajruplan

Omm:	**John ara l-muntanji, il-foresti u l-baħar.**
John:	**U ma jien ħlief sħab m'iniex nara.**
Omm:	**Stenna ftit int, dak sakemm ngħaddu miċ-ċpar u naqbdu r-rotta lejn Ruma.**

Wara ftit . . .

John:	**Ma, ma ara x' hemm, dawl ma, dawl qisu xi port kbir ma.**
Omm:	**Iva John għaddejjin minn fuq Kostantinopli. Se tara l-għoljiet miksija silġ u l-ħdura, ix-xmajjar, u l-għadajjar u l-ibliet ta' madwarhom.**
John:	**Iva ma, jidhru wkoll u sejrin lejhom. Il-aħwa kemm huma sbieħ ma. Dawn m'għandniex bħalhom l-Awstralja. U dik x'inhi ma?**
Omm:	**Dik kabina fuq wajers ħoxnin biex jivjaġġaw bejn il-muntanji.**
John:	**Dik kif iżżomm fl-ajru ma? Kieku jien nibża'!**
Omm:	**Tibża'? Mela l-ajruplan mhux fis-sema jittajjar ukoll u mill-ajruplan ma tibżax, anzi qed tieħu pjaċir. Meta mmorru l-Italja nieħdok fuq waħda minnhom ħa tara kif ma tibżax.**
John:	**Orrajt ma. Grazzi.**

Il-ħin bil-Malti

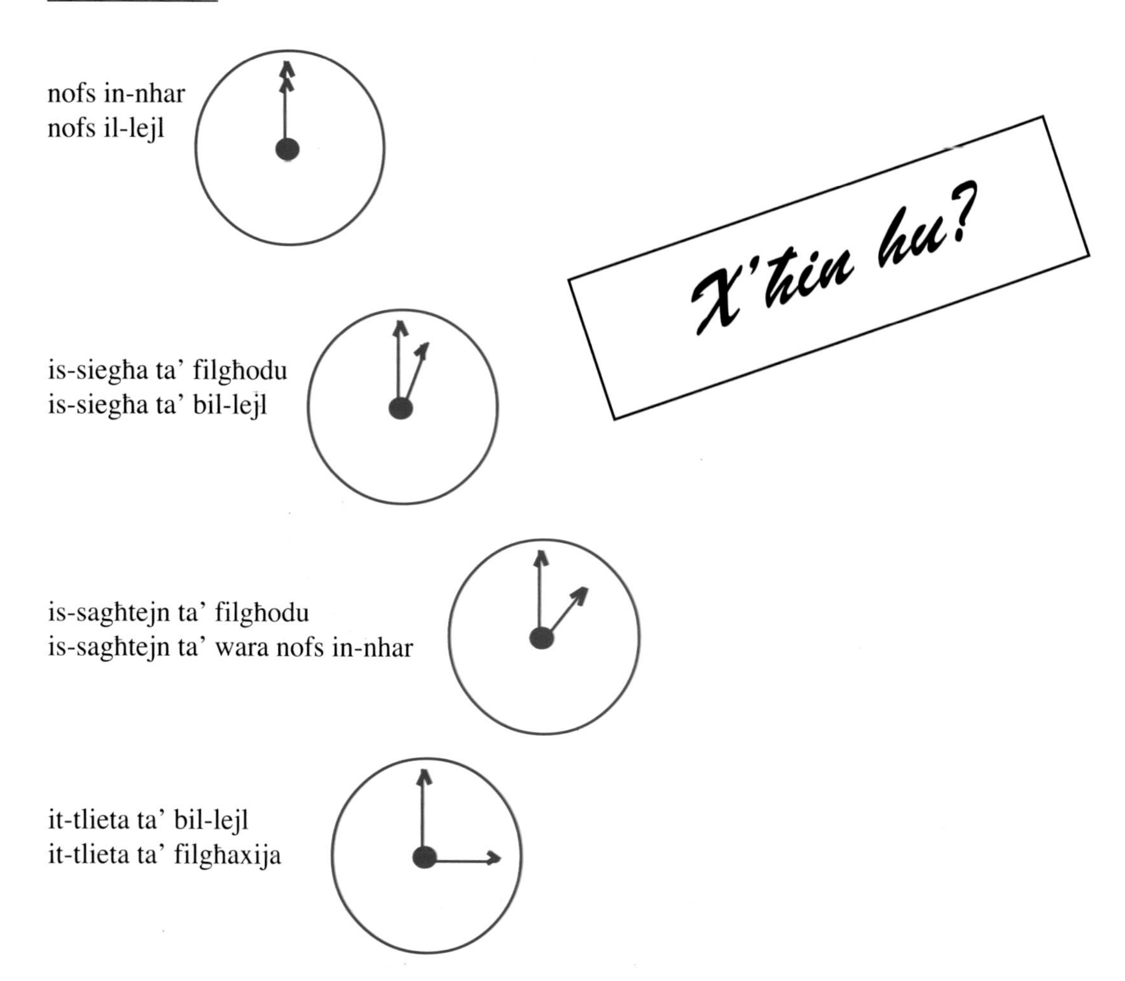

nofs in-nhar
nofs il-lejl

is-siegħa ta' filgħodu
is-siegħa ta' bil-lejl

is-sagħtejn ta' filgħodu
is-sagħtejn ta' wara nofs in-nhar

it-tlieta ta' bil-lejl
it-tlieta ta' filgħaxija

LISTEN

E: *Let us listen to the hours one by one. The time now is:*

A: **Il-ħin issa huwa:**

is-siegħa	is-sebgħa
is-sagħtejn	it-tmienja
it-tlieta	id-disgħa
l-erbgħa	l-għaxra
il-ħamsa	il-ħdax
is-sitta	nofs in-nhar

E: *or*

B: nofs il-lejl.

E: *Brian got up in the morning at 7 o'clock. It was time to go to work. What's the time?*
B: **X'ħin hu?**
E: *It's 7 o'clock.*
A: **Is-sebgħa.**
E: *It's already 7 o'clock!*
B: **Diġà s-sebgħa!**
E: *It's time to go to work!*
A: **Sar il-ħin għax-xogħol!**

C: **X'ħin hu Doris?**
D: **Il-ħin issa huwa t-tmienja.**
C: **Inti fi x'ħin tqum Doris?**
E: *What time do you get up Doris?*
D: **Jien is-soltu nqum fis-sitta ta' filgħodu.**
E: *I usually get up at six in the morning.*
D: **Jien is-soltu nqum fis-sitta ta' filgħodu. Inti fi x'ħin tqum Chris?**
C: **Jien is-soltu nqum fil-ħamsa ta' filgħodu. Inti fi x'ħin torqod Doris?**
E: *What time do you go to sleep Doris?*
C: **Inti fi x'ħin torqod Doris?**
D: **Jien is-soltu norqod fis-siegħa ta' filgħodu. Imma jien norqod ukoll wara nofs in-nhar.**
E: *I usually sleep at one in the morning.*
D: **Jien is-soltu norqod fis-siegħa ta' filgħodu.**
E: *But I also sleep in the afternoon.*
D: **Imma jien norqod ukoll wara nofs in-nhar.**
C: **Kuljum torqod wara nofs in-nhar?**
E: *Do you sleep everyday in the afternoon?*
C: **Le, mhux kuljum.**
E: *No, not everyday.*
C: **Le, mhux kuljum, spiss.**
A: **Inti Doris, ġieli torqod wara nofs in-nhar?**
D: **Fis-sajf, kultant.**
E: *In summer, sometimes.*
D: **Fis-sajf, kultant. Fix-xitwa, qatt.**
E: *In winter, never.*
D: **Fix-xitwa, qatt.**

Fi x'ħin tqum?
Inqum fil-ħamsa.

Fi x'ħin tqum nhar ta' Ħadd?
Nhar ta' Ħadd inqum fid-disgħa.

Fi x'ħin torqod is-soltu?
Is-soltu norqod fil-ħdax ta' filgħaxija.

X'tagħmel filgħodu?
Fis-sitta immur għall-quddies.
Fit-tmienja mmur l-iskola.
Fid-disgħa nistrieħ ftit.
F'nofsinhar niekol.

X'tagħmel wara nofs in-nhar?
Wara nofs in-nhar immur id-dar.
Nagħmel ix-xogħol tad-dar.
Fid-disgħa nidħol fis-sodda u naqra xi ktieb.
Fil-ħdax nara t-televixin.
F'nofs il-lejl norqod.

Fis-siegħa u kwart nispiċċa mix-xogħol.
Fit-tmienja u nofs tibda l-iskola.
Fid-disgħa u kwart nieħu kikkra kafè.
Fil-ħdax nieqes kwart niftaħ l-uffiċċju.
Fil-ħamsa u ħamsa nagħlaq il-ħanut.
Fis-sitta u għaxra nasal id-dar.
Fis-sebgħa u għoxrin naqbad tal-linja.
F'u nofs nieqes ħamsa nidħol fis-sodda.
F'u nofs u ħamsa jdoqq l-arloġġ.
F'nieqes għoxrin nitfi d-dawl.
Fit-tmienja nieqes ħamsa nixgħel it-televixin għall-aħbarijiet.

Il-ħinjiet ta' matul il-ġurnata

filgħodu
filgħodu kmieni
filgħodu mas-sebħ
tard filgħodu
f'nofsinhar
wara nofsinhar
kmieni wara nofsinhar
tard wara nofsinhar
filgħaxija
tard filgħaxija

ma' nżul ix-xemx
bil-lejl
tard bil-lejl
f'nofs il-lejl

Iż-żmien
il-bieraħ
il-bieraħtlura
għada
pitgħada
erbat ijiem ilu
ħamest ijiem oħra
il-ġimgħa l-oħra
ħmistax ilu
ħmistax oħra
xahar ieħor
sena oħra
sentejn oħra
tliet snin ilu
il-ġurnata ta' qabel
is-sena d-dieħla

Fi x'ħin ġejjin il-ħbieb?
Il-ħbieb ġejjin fis-sebgħa u għoxrin.

Kemm ilek tistenna?
Ili nistenna mid-disgħa u ħamsa u għoxrin.

Sa x'ħin se ddum tistenna?
Sa nistenna sad-disgħa u nofs u ħamsa.

Is-soltu x'ħin jiġu l-kuġini?
Is-soltu l-kuġini jiġu fl-għaxra nieqes għoxrin.

Iz-zijiet x'ħin jiġu?
Iz-zijiet jiġu fl-għaxra nieqes għaxra.

Fi x'ħin tibda l-logħba?
Il-logħba tibda fis-sebgħa u kwart.

Fi x'ħin tispiċċa l-partita?
Il-partita tispiċċa fid-disgħa nieqes għoxrin.

Faċċata mid-djarju ta' Jeannette

07:00	inqum
07:30	nitlaq għax-xogħol
08:00	niftaħ l-uffiċċju
10:00	nieħu t-tè
13:00	niekol
15:30	nieħu belgħa tè
17:15	nagħlaq l-uffiċċju
17:45	immur għal-lezzjoni tal-ħjata

X'tagħmel Jeannette kuljum?

Tabella tal-ħanut: il-ħinijiet tal-ftuħ

MIT-TNEJN SAL-ĠIMGĦA
9:00 – 13:00
16:00 – 19:00

IS-SIBT
8:30 – 12:30

X'inhuma l-ħinijiet tal-ftuħ ta' dan il-ħanut?

Tabella ta' aġenzija: il-ħinijiet għall-pubbliku

IT-TNEJN U L-ERBGĦA
8:00 – 14:00
IT-TLIETA, IL-ĦAMIS, IL-ĠIMGĦA
9:00 – 12:00
14:00 – 16:00

X'inhuma l-ħinijiet tal-ftuħ għall-pubbliku ta' din l-aġenzija?

____

Meta ssiefer tinsiex tieħu miegħek:

il-passaport	il-passaporti
il-bagalja	il-bagalji
il-biljett	il-biljetti
id-dokument	id-dokumenti
il-formola	il-formoli
il-karta	il-karti
l-arloġġ	l-arloġġi
il-basket	il-basktijiet
il-ħwejjeġ	il-ħwejjeġ

Il-Mezzi tat-trasport

Mark: **Inti biex tmur għax-xogħol kuljum?**

Paul: **Il-biċċa l-kbira mmur għax-xogħol bil-karozza tiegħi, imma xi kultant naqbad il-karozza tal-linja. Inti biex tmur?**

Mark: **Jien immur ma' ħabib tiegħi bil-karozza tiegħu għax noqogħdu ħdejn xulxin u naħdmu flimkien.**

Romina: **Inti biex tħobb issiefer l-iżjed, bl-ajruplan jew bil-vapur?**

Nadine: **Jien dejjem bl-ajruplan insiefer. L-ajruplan komdu għax tasal malajr kull fejn trid. Ngħidlek is-sew il-baħar nibża' minnu.**

Romina: **U le ma fihx minn xiex tibża'. Jien il-baħar inħobbu ħafna u għalhekk nippreferi nivvjaġġa bil-baħar. Kemm-il darba nħobb immur Sqallija avolja ndumu xi disa' sigħat sejrin bil-baħar. Ma narahx fih daqshekk gost li tasal wara sagħtejn bil-katamaran.**

James: **Qatt irkibt xi trejn?**

Karen: **Iva kemm-il darba. Kif diġà għidtlek vjaġġi twal ma jdejqunix. Fil-fatt anke bil-coach nieħu gost nivvjaġġa. Vjaġġi twal, hekk qisek m'int se tasal qatt inħosshom iserrħuni għax tħoss li m'għandekx għaġġla fil-ħajja. U inti?**

James: **Jien it-trejns jogħġbuni mhux ħażin imma tgħidlix biex nirkeb xi coach fit-tul għax jagħmilli d-deni. Anke l-karozzi fit-tul idejquni. Jagħmluli d-deni.**

Il-Mezzi tat- trasport

l-ajruplan	l-ajruplani
il-vapur	il-vapuri
il-karozza	il-karozzi
il-karozza tal-linja	il-karozzi tal-linja
il-ferrovija	il-ferroviji
it-trejn	it-trejns
il-lanċa	il-laneċ

Il-karozza tagħmilli d-deni!

X' nistgħu naraw barra mill-pajjiż.

Jien inħobb nara l-muntanji.
Int tħobb tara l-foresti mimlija siġar.
Hu jħobb jara x-xmajjar u l-għadajjar.
Hi tħobb tara l-ħwienet kbar ta' l-ibliet.
Aħna nħobbu naraw il-baħar mit-twieqi ta' l-ajruplan.
Intom tħobbu taraw il-portijiet mimlija vapuri.
Huma jħobbu jaraw l-ajruplani l-oħra fl-ajruporti.

GRAMMATIKA

Xi prepożizzjonijiet

il-borma qiegħda fuq in-nar

il-banketta qiegħda taħt il-mejda

id-dixx qiegħed ġol-forn

it-tazzi qegħdin quddiem il-platti

il-libsa qiegħda fil-vetrina

il-tifel qiegħed wara s-sufan

il-platti qegħdin ħdejn xulxin

ORTOGRAFIJA

Innota li xi prepożizzjonijiet jingħaqdu ma' l-artiklu:

ġo + il-	=	ġol-
fi + il-	=	fil-
bi + il-	=	bil-
ta' + il-	=	tal-
minn + il-	=	mill-
għal + il-	=	għall-
lil + il-	=	lill-

ġo	**ġol-**	**ġoċ-**	**ġod-**	**ġon-**	**ġor-**	**ġos-**	**ġot-**	**ġox-**	**ġoż-**	**ġoz-**
fi	**fil-**	**fiċ-**	**fid-**	**fin-**	**fir-**	**fis-**	**fit-**	**fix-**	**fiż-**	**fiz-**
bi	**bil-**	**biċ-**	**bid-**	**bin-**	**bir-**	**bis-**	**bit-**	**bix-**	**biż-**	**biz-**
minn	**mill-**	**miċ-**	**mid-**	**min-**	**mir-**	**mis-**	**mit-**	**mix-**	**miż-**	**miz-**

Fejn?
fil-ħanut, fiċ-ċumnija, fid-dar, fin-nar, fir-ras, fis-sigaretti, fit-tieqa, fix-xita, fiż-żarbun, fiz-zokk

Biex?
bil-ħabel, biċ-ċar, bid-dublett, bin-nofs, bir-riħa, bis-sogħla, bit-torturi, bix-xemgħa, biż-żufjett, biz-zalza

Ibża'. . .
mill-iżbalji, miċ-ċuċati, mid-droga, min-nassa, mir-rassa, mis-suldati, mit-theddid, mix-xemx, miż-żmien, miz-zekzik

PRONUNZJA

Għalkemm l-ittra "għ" m'għandhiex ħoss, niltaqgħu ma' bosta drabi meta l- "għ" tinstema' "ħe". Dan iseħħ meta l- "għ":

(a) tkun fl-aħħar tal-kelma eż. qliegħ, biegħ (ara Kapitlu 3)
(b) warajha jkollha "h" eż. tagħha, magħha

magħha	Jien se mmur magħha.
tagħha	Dan il-ktieb tagħha.
refagħha	Il-missier refagħha fuq spallejh lit-tifla.
belagħha	Chris belagħha sħiħa l-ħelwa.
tefagħha	Robert tefagħha l-baħar lil oħtu.
jismagħha	Hija jħobb jismagħha l-mużika klassika.
jitmagħha	Ir-raġel tiegħi jitmagħha hu kuljum lit-tifla ż-żgħira.

EŻERĊIZZJI

1. X'ħin hu jekk jogħġbok?

(6:30 p.m.)

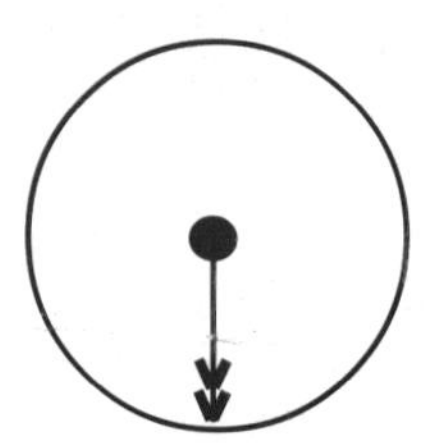

X'ħin hu jekk jogħġbok?

(4:15 p.m.)

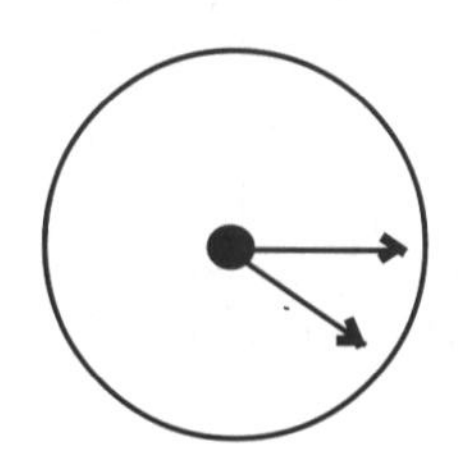

X'ħin hu jekk jogħġbok?
(10:30 p.m.)

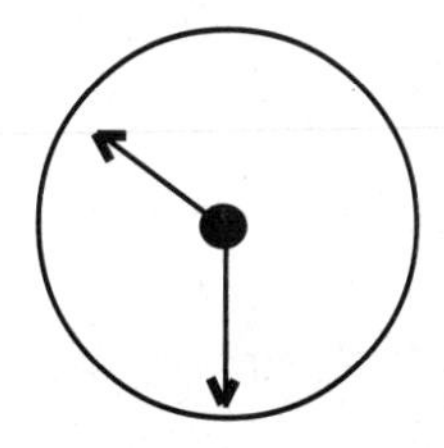

X'ħin hu jekk jogħġbok?
(8:45 a.m.)

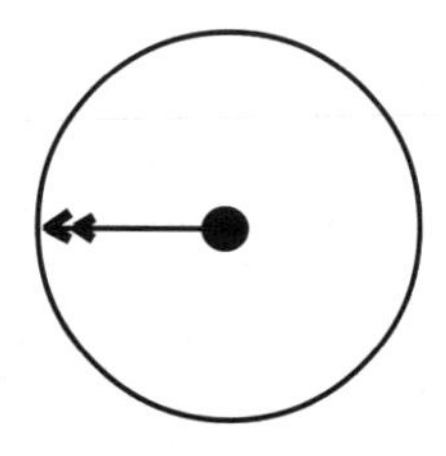

2. Imla l-vojt.

1. **Fi x'ħin tmur għax-xogħol Marija?**
Marija tmur għax-xogħol fil-(4:45) ______________________ .
2. **X'ħin jiġi Peter is-soltu?**
Is-soltu Peter jiġi fis-(6:45) ______________________ .
3. **Intom sa x'ħin iddumu hawn?**
Sal-(11:05) ______________________ .
4. **Issa x'ħin hu?**
Bħalissa l-(10:10) ______________________ .

3. Wieġeb dawn il-mistoqsijiet u staqsi lil sħabek.

1. **Inti fi x'ħin tqum matul il-ġimgħa?**
2. **Fi x'ħin tqum nhar ta' Ħadd?**
3. **Fi x'ħin tmur għax-xogħol?**
4. **It-tfal fi x'ħin imorru l-iskola?**
5. **Fi x'ħin tiekol?**
6. **Fi x'ħin torqod?**
7. **Issa x'ħin hu jekk jogħġbok?**

4. Wieġeb dawn il-mistoqsijiet u staqsi lil sħabek.

1. **Inti biex tmur għax-xogħol kuljum?**
2. **Tħobb issiefer?**
3. **Meta ssiefer tmur fuq xogħol jew biex tieħu vaganza?**
4. **Inti biex tħobb issiefer?**
5. **X'tippreferi: it-trejn jew il-coach?**
6. **Xi tħobb l-aktar l-ajruplan jew il-vapur?**
7. **Qatt irkibt il-katamaran?**
8. **Ġieli vvjaġġajt fit-tul bit-trejn?**

5. Imla l-vojt.

1. **Fis-sajf** ____________________ **sa l-Italja.**
2. **Aħna se** ____________________ **bil-ferrovija qalb il-muntanji.**
3. **Għax-xogħol Paul** ____________________ **bil-karozza tal-linja.**
4. **Jien** ____________________ **bl-ajruplan.**
5. **Meta** ____________________ **Franza, it-tifla se** ____________________ **il-luna park.**
6. **Kull nhar ta' ġimgħa huma** ____________________ **katamaran Sqallija.**

6. Wieġeb u staqsi.

1. **X'se tiekol il-lejla?**
2. **X'se tagħmel għada?**
3. **X'se tagħmel fil-vaganzi?**
4. **X'se tagħmel nhar il-Ħadd?**
5. **X'se tagħmel nhar is-Sibt?**
6. **X'se tordnaw fir-restorant?**
7. **Pawlu x'se jixrob?**

7. Daħħal il-prepożizzjoni ma' l-artiklu fil-vojt:
(fis-, fix-, mill-, ġol-, fuq, wara, taħt)

1. **Il-plejer daħħal il-ballun ________ xibka.**
2. **It-tifel daħħal il-ħobż ________ bagalja.**
3. **Se noħroġ il-fenek ________ kappell.**
4. **Tal-ħanut se jdaħħal iż-żarbun ________ kaxxa.**
5. **Il-qattus qiegħed ________ is-sufan.**
6. **L-għasfur tar ________ gaġġa.**
7. **Poġġejna r-ritratt tat-tieġ tagħna ________ salott.**
8. **Il-fenek qiegħed ________ in-nar.**
9. **It-tifel se jistaħba ________ l-purtiera.**
10. **Il-karta qiegħda ________ il-ktieb.**

8. Uża prepożizzjoni ma' kull sett ta' kliem biex tifforma sentenza:
Eż. (tifel, siġġu) = It-tifel qiegħed fuq is-siġġu

1. **(borma, mejda)**
2. **(qattus, mejda)**
3. **(flixkun, ilma)**
4. **(borma, ikel)**
5. **(dixx, forn)**
6. **(tapit, sodda)**
7. **(żarbun, kaxxa)**
8. **(platt, tazza)**
9. **(ktieb, pitazz)**
10. **(radju, telefown)**

9. Ħares lejn l-istampa u wieġeb il-mistoqsijiet

1. **Fejn qiegħed it-telefon?**
2. **Fejn qiegħed il-ktieb?**
3. **Fejn qiegħed il-qattus?**
4. **Fejn qegħdin is-siġġijiet?**
5. **Fejn qegħda l-mejda?**

10. Poġġi l-prepożizzjoni ma' l-artiklu fil-vojt.

1. **-ħanut rajt ħafna affarijiet. (fi, il-)**
2. **Rita taħdem bla heda dar. (fi, id-)**
3. **sigaretti hemm ħafna nikotina. (fi, is-)**
4. **It-tfal iħobbu jilagħbu ħabel. (bi, il-)**
5. **Ma nħobbx noħroġ dublett. (bi, id-)**
6. **sogħla li għandi se nifga'. (bi, is-)**
7. **iżbalji titgħallem. (minn, il-)**
8. **Tawh kollox torturi. (bi, it-)**
9. **Oqogħdu attenti nassa tal-flus. (minn, in-)**
10. **Xtara l-għamara zalza. (bi, iz-)**

AQRA U ISMA'
READ AND LISTEN

A: **Brian, inti fi x'ħin tqum filgħodu?**
B: **Jien inqum fis-sitta u nofs. U inti Anna?**
A: **Jien inqum fil-ħamsa u nofs.**
B: **Fil-ħamsa u nofs, għaliex?**
A: **Għax jien immur għax-xogħol fis-sitta u kwart. Inti fi x'ħin tmur għax-xogħol Brian?**
B: **Jien inqum fis-sitta u nofs u mmur għax-xogħol fis-sebgħa u kwart.**
A: **U fi x'ħin tibda x-xogħol?**
B: **Nibda x-xogħol fis-sebgħa u nofs.**

C: **Bonġu Doris. Kif int?**
D: **Bonġu Chris. Mhux ħażin, grazzi. U inti?**
C: **Jien tajjeb s'issa. X'ħin hu jekk jogħġbok?**
D: **Il-ħin issa huwa l-ħamsa u nofs.**
C: **Il-ħamsa u nofs! Fis-sitta jien nibda xogħol.**
D: **Fis-sitta ta' filgħaxija tibda xogħol?**
C: **Iva, bħalissa qed naħdem filgħaxija. U inti?**
D: **Le, jien naħdem matul il-ġurnata. Filgħodu nibda xogħol fit-tmienja u nofs u nispiċċa f'nofs in-nhar. Wara nofs in-nhar nibda fis-sagħtejn u nofs u nispiċċa fil-ħamsa u kwart.**
C: **Tajjeb.**
D: **Int fi x'ħin tispiċċa?**
C: **Ara jien nibda fis-sitta ta' filgħaxija. Naħdem bil-lejl, u nispiċċa fit-tlieta nieqes kwart ta' filgħodu.**
D: **Tispiċċa fit-tlieta nieqes kwart! U fi x'ħin tmur id-dar?**
C: **Ħeqq, jien immur id-dar fit-tlieta u kwart ta' filgħodu!**
D: **U tmur torqod!**
C: **Norqod filgħodu sa xi nofs in-nhar. Imbagħad inqum, ninħasel, niekol, u noħroġ.**
D: **U fi x'ħin toħroġ?**
C: **Fis-sajf noħroġ fit-tlieta u mmur ngħum jew nixxemmex.**
D: **U fix-xitwa?**
C: **Fix-xitwa noħroġ fit-tlieta u nofs u mmur indur il-Belt. Inti x'tagħmel filgħaxija?**
D: **Jien inħobb nara t-televixin.**
C: **Kuljum?**
D: **Kważi kuljum.**
C: **Le, fis-sajf immur il-baħar. Sar il-ħin għax-xogħol. Ciao Doris.**
D: **Ciao Chris.**

---

5 *L-ISKOLA*

Id-djarju ta' Laura, studenta ta' tlettax-il sena fl-iskola sekondarja tal-gvern, il-Mosta.
Look at this page from Laura's diary. Laura is a thirteen year old secondary school student at Mosta state school.

It-Tnejn 12 ta' Novembru, 1995.

Għażiż djarju,

Illum ftit li xejn mort tajjeb l-iskola. Fl-ewwel lezzjoni kelli xi ngħid ma' Miss Callus u bqajt bin-nervi sa fil-għaxija. Waqt il-Maths, Claire ta' maġenbi ma waqfitx minuta tpaċpaċ!

L-unika ħaġa li għoġbitni bħas-soltu kienet il-lezzjoni tal-Malti mas-Sur Pace. Dan l-għalliem ma nafx x'għandu, jiġbidna lkoll warajh. Illum għamilna reċta u tgħidx kemm ħadna pjaċir. Li kieku l-għalliema kollha bħalu, kieku l-iskola fiha għaxqa!

X'ħin spiċċajt mill-iskola ħadt ir-ruħ qisni ħlist minn biċċa piż żejjed. Nispera li għada jkolli ġurnata aħjar u noqgħod aktar attenta.

Saħħa għażiż djarju. Nerġa' nkellmek għada.

Dejjem tiegħek,
Laura.

Espressjonijiet
Expressions

kelli xi ngħid
bqajt bin-nervi
jiġbidna warajh
fiha għaxqa
ħadt ir-ruħ

Dawn huma suġġetti mgħallma fl-iskejjel sekondarji Maltin:
The following subjects are taught in Maltese secondary schools:

il-Malti
l-Ingliż
it-Taljan
il-Franċiż
il-Ġermaniż
l-Ispanjol
il-Letteratura
it-Tpinġija
ix-Xjenza
il-Fiżika
il-Kimika
il-Bioloġija
l-Għarbi
il-Matematika
is-Snajja'
l-*accounts*
ir-Reliġjon
l-Istudji Soċjali
l-Istudji Ambjentali
il-Ġografija
id-Disinn
l-Istorja ta' Malta
l-Istorja ta' l-Ewropa
l-*economics*
l-Edukazzjoni Personali u Soċjali
L-Edukazzjoni Fiżika

Liema suġġetti jippreferu?
Which subjects do they prefer?

Marija tħobb il-Matematika aktar mill-Franċiż.
Pawlu jħobb l-aktar il-Fiżika.
L-istudenti jippreferu aktar l-Arti mix-Xjenza.
L-għalliem togħġbu l-aktar il-Kimika.

Għalija l-Letteratura itqal mill-Fiżika.
Għalija l-Letteratura l-itqal.

Il-Franċiż isbaħ mill-Ispanjol.
Il-Ġermaniż l-isbaħ.

L-edukazzjoni f'Malta tinqasam fi tliet stadji. Aqra din l-informazzjoni biex tkun taf iżjed.
The Maltese education system is made up of three stages. Read the following information to know more about it.

It-tfal ta' bejn it-tliet snin u l-ħdax-il sena jmorru l-ewwel il-kindergarten u wara l-iskola primarja. Hawn skejjel primarji ta' l-istat f'kull belt u raħal. Hemm ukoll oħrajn tal-knisja u privati.
Kif jispiċċaw l-iskola primarja, jekk jgħaddu mill-eżamijiet tal-Junior Lyceum, it-tfal imorru f'xi Junior Lyceum, inkella jmorru fi skola sekondarja. Min ma jkunx irid imur la f'waħda u lanqas fl-oħra jista' jattendi skola privata.

Ma' għeluq is-sittax-il sena l-istudenti jew jagħżlu li joħorġu jaħdmu jew inkella jkomplu jistudjaw f'xi wieħed mill-kulleġġi speċjalizzati li hemm apposta għalihom.
Fi tmiem l-iskola sekondarja, l-istudenti joqogħdu għall-eżamijiet fis-suġġetti kollha.
Dawn l-eżamijiet f'Malta magħrufin bħala tal-Matsec, jiġifieri l-Matrikola fil-livell sekondarju.
Fost l-iskejjel għall-istudju avvanzat insibu l-Junior College, l-Istituti Tekniċi, l-iskejjel tas-Snajja', l-iskola tas-Segretarji, l-Istitut tas-Snajja' u l-Istitut għall-Istudji Turistiċi.

Min ikollu l-kwalifiki neċessarji mbagħad jista' jkompli jitħarreġ fl-Università ta' Malta li toffri korsijiet f'bosta oqsma, ngħidu aħna, fl-Arti, fl-Edukazzjoni, fl-Inġinerija, fil-Mediċina, fil-Liġi eċċ.

Fejn se mmur skola?
Liema tip ta' skola tmur?
What kind of school do you go to?

l-iskola primarja
l-iskola sekondarja
l-iskola tas-snajja'
l-iskola teknika
l-iskola tal-biedja
l-iskola ta' l-artiġġjanat
l-iskola tal-gvern/statali
l-iskola tal-knisja
l-iskola privata
l-iskola ta' l-arti
l-iskola tal-ħjata
l-iskola tas-segretarji
l-iskola tal-bini
l-iskola nawtika

l-Istitut tekniku
l-Istitut tas-snajja'
l-Istitut għall-istudji turistiċi
l-Istitut ta' l-elettronika

l-università

GRAMMATIKA

Ejja nqabblu żewġ affarijiet ma' xulxin:
Let us compare things:

aktar **inħobb il-fjuri aktar mis-siġar**
itqal **iċ-ċomb itqal mir-rix**
isbaħ **dik il-libsa isbaħ mill-oħra**

Meta nqabblu oġġett wieħed ma' ħafna nużaw is-superlattiv:
When we compare only one thing with many, we use the superlative:

l-aktar **Pawlu kiel l-aktar minnhom kollha**
l-itqal **Ħdimt l-itqal somma tal-ktieb**
l-isbaħ **L-isbaħ fjura fil-ġnien**

L-Aġġettiv *Adjective*	Il-Komparattiv *Comparative*	Is-Superlattiv *Superlative*
sabiħ	**isbaħ**	**l-isbaħ**
tqil	**itqal**	**l-itqal**
ħafif	**eħfef**	**l-eħfef**
twil	**itwal**	**l-itwal**
tajjeb	**itjeb**	**l-itjeb**
ħażin	**eħżen**	**l-eħżen**
għoli	**ogħla**	**l-ogħla**
irħis	**orħos**	**l-orħos**
wiesa'	**usa'**	**l-usa'**
ċkejken	**iċken**	**l-iċken**
oħxon	**eħxen**	**l-eħxen**
irqiq	**irqaq**	**l-irqaq**

Xi eżempji tal-komparattiv bil-Malti.
The following are some examples of the comparative forms in Maltese.

Dan il-platt aħjar minn dak għas-soppa għax fond.
Dan il-ħobż tal-Malti itjeb minn dak tas-slajs (tal-kexxun).
Dan il-butir ifjen minn dak il-marġerin.
Platt ħaxix eħfef għall-istonku minn platt stuffat.
Din il-lezzjoni itqal minn ta' qabilha.
L-eżami ta' din is-sena kien eħfef minn tas-sena l-oħra.
Dan il-kulur aktar skur mill-ieħor.

X'għamilt il-bieraħ?
What did you do yesterday?

	"Qam" *"to get up"*	"Inħasel" *"to wash oneself"*
jien	**qomt**	**inħsilt**
int	**qomt**	**inħsilt**
hu	**qam**	**inħasel**
hi	**qamet**	**inħaslet**
aħna	**qomna**	**inħsilna**
intom	**qomtu**	**inħsiltu**
huma	**qamu**	**inħaslu**

X'għamilt il-ġimgħa l-oħra?
What did you do last week?

"Siefer" *"To go abroad"*	"Marad" *"To fall ill"*	"Ħiet" *"To sew"*
sifirt	**imradt**	**ħitt**
sifirt	**imradt**	**ħitt**
siefer	**marad**	**ħiet**
siefret	**mardet**	**ħietet**
sifirna	**imradna**	**ħitna**
sifirtu	**imradtu**	**ħittu**
siefru	**mardu**	**ħietu**

X'ġara s-sena li għaddiet?
What happened last year?

Jien bqajt Malta.
Inti ħadt vaganza.
Hu saq l-ajruplan.
Hi marret Ruma.
Aħna qlajna ħafna rigali.
Intom tlajtu fuq il-ħelikopter.
Huma fiequ mill-marda.

X'għamilt il-bieraħ?

Aktar numri

101	**mija u wieħed**
102	**mija u tnejn**
103	**mija u tlieta**
104	**mija u erbgħa**
105	**mija u ħamsa**
106	**mija u sitta**
107	**mija u sebgħa**
108	**mija u tmienja**
109	**mija u disgħa**
110	**mija u għaxra**

kompli ....
111
112
113
114
115
116
117
118
119
120
121
121

...

130
140
150
160

...

200	**mitejn**
300	**tliet mija**
400	**erba' mija**
500	**ħames mija**
600	**sitt mija**
700	**seba' mija**
800	**tmien mija**
900	**disa' mija**
950	**disa' mija u ħamsin**
965	**disa' mija u ħamsa u sittin**
1000	**elf**
1,000,000	**miljun**
10,000,000	**għaxar miljuni**

ORTOGRAFIJA
Fin-numri mill-11 sad-19 nużaw is-SINGULAR U s-SING (-il) li mhux l-artiklu.

is-siegħa u ħdax-il minuta
għandi tnax-il platt
mort ngħum tlettax-il darba
siefer erbatax-il darba
maratona ta' mitejn u ħmistax-il siegħa
Marija falliet l-iskola sittax-il ġurnata
weġġgħu sbatax-il plejer
għalaq tmintax-il sena
għandha dsatax-il sena

it-tieni	l-ewwel	it-tielet

l-ewwel
it-tieni
it-tielet
ir-raba'
il-ħames
is-sitt **is-sitta**
is-seba'
it-tmien **it-tmienja**
id-disa'
l-għaxar
il-ħdax
it-tnax
eċċ
il-wieħed u għoxrin
eċċ
il-mitt
eċċ
il-mija u ħamsin
eċċ
l-elf
il-miljun

Il-ħwejjeġ

Fis-sajf nilbsu ħafif. F'saqajna nilbsu xi sandli jew xi karkur. Nilbsu xi libsa ħafifa, jew xi qmis u xi dublett jew xorts.

Fix-xitwa nilbsu ħwejjeġ iktar ħoxnin. Nilbsu l-kalzetti u ż-żarbun jew xi buts, jekk tkun ix-xita. Nilbsu qliezet twal u flokkijiet bil-komma twila, ġersijiet tas-suf li jsaħħnu. Meta nkunu sa noħorġu nilbsu xi ġakketta jew xi kowt. Jekk tkun ix-xita nieħdu l-umbrella u l-inċirata (ir-rejnkowt). Jekk tkun ħafna kesħa nilbsu l-ingwanti u xi xalpa.

l-ingravata bil-faxxi

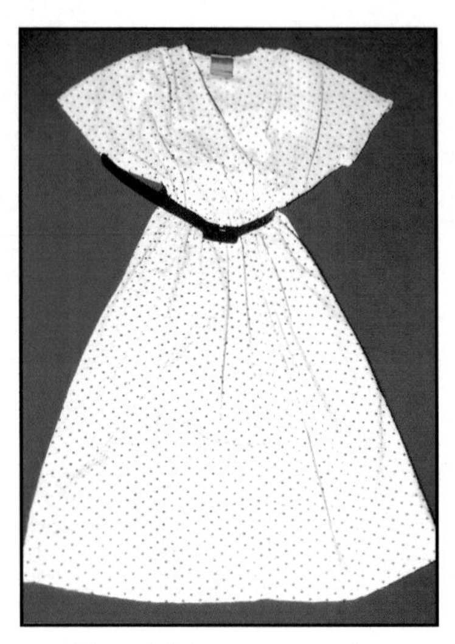

libsa bil-komma qasira

libsa bil-komma twila

dublett ta' kuljum

il-ġakketta ħoxna

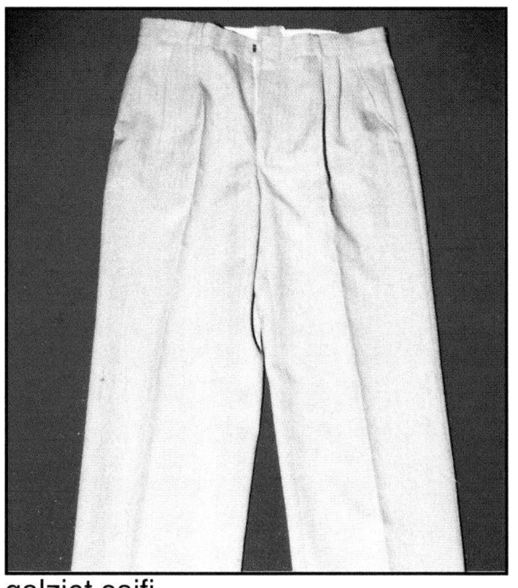

qalziet sajfi

flokk ta' taħt

RECORD YOURSELF

E: *Now we are going to talk about parts of the body in Maltese. At the same time we will revise a number of adjectives. Let us start with: I am a tall man!*

B: **Jien raġel twil!**
C: **U jien raġel qasir!**

A: **Jien mara twila!**
D: **Jien daqsxejn qasira!**
E: *I'm rather short!*
D: **Jien daqsxejn qasira!**

A: **Jien għandi xagħri qasir.**
E: *I have short hair.*
A: **Jien għandi xagħri qasir.**

D: **Imma jien għandi xagħri twil!**
E: *But I have long hair!*
D: **Imma jien għandi xagħri twil!**

E: *The following are parts of the body. Imagine a mother talking to her little girl.*

A: **Dan imnieħri.**
E: *This is my nose.*
G: **Dan imnieħri u dak imnieħrek.**

A: **Dan ħalqi.**
E: *This is my mouth.*
G: **Dan ħalqi u dak ħalqek**

A: **U dawn?**
E: *And these?*
G: **Dawn għajnejja.**
E: *These are my eyes*
G: **Dawn għajnejja.**
A: **Inti għandek għajnejk suwed.**
E: *You have black eyes.*
G: **U inti mummy?**
A: **Jien għandi għajnejja kannella.**
G: **U il-papà?**
A: **Il-papà għandu għajnejh ħodor.**

E: *What colour are your eyes?*
D: **X'kulur huma għajnejk?**
B: **Jien għandi għajnejja blù.**
C: **Jien għandi għajnejja suwed.**
D: **Jien għandi għajnejja ħodor.**

A: **Din widinti.**
E: *This is my ear.*
A: **Din widinti.**
G: **Għandek tnejn.**
A: **Iva, kulħadd għandu tnejn. Kulħadd għandu par widnejn.**
E: *Everybody has got a pair of ears.*
A: **Kulħadd għandu par widnejn. Dawn widnejja.**
E: *These are my ears.*
G: **U dawn widnejja. Din rasi.**
E: *This is my head.*
A: **Din rasi.**
G: **Dawn snieni.**
E: *These are my teeth.*
G: **Dawn snieni.**
A: **U dawn xufftejja.**
G: **Kemm għandek snienek bojod Anna!**
E: *How white your teeth are Anna!*
G: **Kemm għandek snienek bojod Anna!**
A: **Dażgur! Għadni ġejja mingħand id-dentist!**

E: *Of course! I've just been to the dentist!*
A: **Dażgur! Għadni ġejja mingħand id-dentist!**
C: **It-tifla tiegħek għandha xufftejha sbieħ.**
E: *Your daughter has beautiful lips.*
C: **It-tifla tiegħek għandha xufftejha sbieħ.**

E: *Then we say, one hand:*
B: **id waħda.**
E: *two hands, or a pair of hands:*
B: **żewġ idejn, jew par idejn.**
E: *my hand.*
B: **idi**
E: *your hand*
B: **idek**
E: *my hands*
B: **idejja**

E: *one leg*
D: **sieq waħda**
E: *a pair of legs*
D: **par saqajn**
E: *my leg*
D: **sieqi**

E: *knee*
A: **irkoppa**
E: *my knee*
A: **irkoppti**
E: *my knees*
A: **irkupptejja**
E: *a pair of knees*
A: **irkupptejn**

E: *Last year I broke my leg.*
C: **Is-sena l-oħra ksirt sieqi.**
E: *This year I broke my arm.*
C: **Din is-sena ksirt idi.**

E: *I have a headache.*
A: **Għandi rasi tuġgħani.**
E: *I have a stomach ache.*
A: **Għandi l-istonku juġgħani.**
E: *I have a pain in my tummy.*
D: **Għandi uġigħ f'żaqqi.**
E: *I have a pain in my right ear.*
D: **Għandi uġigħ f'widinti tal-lemin.**
E: or
D: **Għandi uġigħ f'widinti l-leminija.**
E: *My left ear*
D: **widinti tax-xelluq**
E: *or*
D: **widinti x-xellugija.**

E: *Paul broke one finger.*
A: **Pawlu kiser seba' wieħed.**
E: *Peter broke all his fingers.*
B: **Pietru kiser subgħajh kollha.**

C: **Kemm għandek subgħajk twal Brian!**
E: *What long fingers you have Brian!*
C: **Kemm għandek subgħajk twal Brian!**

B: **Kemm għandek difrejk qosra Chris!**
E: *What short finger nails you have Chris!*
B: **Kemm għandek difrejk qosra Chris!**

Jien għandi xagħri twil.

Jien għandi xagħri qasir.

Jien twila. Jien qasir.
Jien twil. Jien qasira.

Jien oħxon. Jien irqiq.
Jien ħoxna. Jien irqiqa.

Il-partijiet tal-ġisem

Singular	*Par*	*Plural*
ir-ras		**l-irjus**
il-għajn	**par għajnejn**	**l-għajnejn**
l-imnieħer		
il-widna	**par widnejn**	**il-widnejn**
ix-xoffa	**par xufftejn**	**ix-xufftejn**
il-ħalq		**il-ħluq**
is-sinna		**is-snien**
id	**par idejn**	**l-idejn**
is-seba'		**is-swaba'**
id-difer		**id-difrejn**
il-minkeb		**il-minkbejn**
is-sider		
is-sieq	**par saqajn**	**is-saqajn**
l-irkoppa		**l-irkupptejn**

Kif inti?

għandi rasi tuġġħani
għandi ħalqi juġġħani
għandi snieni juġġħuni
għandi idi tuġġħani
għandi jdejja juġġħuni

għandi wġigħ ta' ras
għandi wġigħ fi griżmejja
għandi wġigħ f'sidri

għandi riħ
għandi l-influwenza
għandi ħass ħażin

inħossni storduta
inħossni għajjiena
inħossni ma niflaħx

qed nagħtas
qed nittewweb
qed nistordi
qed niġi f'tiegħi

Għandi rasi tuġġħani!

PRONUNZJA

Tnejn mill-iżjed konsonanti diffiċli għal xi barranin fil-Malti huma l-"q" u l-"ħ".
Two of the most difficult sounds for some foreigners to pronounce in Maltese are the "q" and the "h".

ħut, ħuta	**il-Qawra**
ħofra, ħofor	**qubbajd**
ħobża, ħobż	**quddiesa**
ħafna ħut	**quddiem**
ħafna ħofor	**qasir, qasira, qosra**
ħafna ħobż	**qam, qanpiena**
tuffieħ, tuffieħa	**daqq, daqqa, daqqiet**

Innota li l-kelma "xi" tista' tintuża kemm man-nomi fis-singular kif ukoll man-nomi fil-plural.

Singular	*Plural*
xi mkien	**xi mkejjen**
xi triq	**xi triqat**
xi għolja	**xi għoljiet**
xi wied	**xi widien**
xi villa	**xi vilel**
xi raħal	**xi rħula**
xi dar	**xi djar**
xi ħadd	**xi nies**
xi mara	**xi nisa**

ORTOGRAFIJA

Verbi li jispiċċaw bil-vokali "a" fin-negattiv jieħdu l-"ie".

nesa — ma nesiex
kera — ma keriex
beda — ma bediex
ħeba — ma ħebiex
mela — ma meliex

Kliem li għandu l-"għ" bħala " ' " fl-aħħar, fin-negattiv iwaqqagħha:

tela' — ma telax
waqa' — ma waqax
bala' — ma balax

Xi kultant il-plural isir biż-żieda ta' vokali jew konsonanti bħala suffissi:

biż-żieda ta' 's'

flett	**fletts**
kompjuter	**kompjuters**
telefown	**telefowns**
spiker	**spikers**
baġit	**baġits**
film	**films**

biż-żieda ta' 'ijiet'

missier	**missirijiet**
omm	**ommijiet**
ziju\zija	**zijiet**
nannu/nanna	**nanniet**
kriżi	**kriżijiet**
aħbar	**aħbarijiet**
patri	**patrijiet**

Ma telax in-numru tiegħi!

biż-żieda ta' 'ien'

wied	**widien**
bieb	**bibien**
ġar	**ġirien**
nar	**nirien**

EŻERĊIZZJI

1. Issa kompli dawn u daħħalhom f'sentenzi:

Singular	*Plural*
xi flett	**xi ....**
xi kompjuter	**xi ....**
xi familja	**xi ....**
xi Malti	**xi ....**
xi omm	**xi ....**
xi missier	**xi ....**
xi ħabiba	**xi ....**
xi barrani	**xi ....**
xi kuġina	**xi ....**
xi sena	**xi ....**

2. Ikteb kliem flok numri

250	**888**	**1,000**		**1,075**	**1,567**
2,222	**3,715**	**9,435**	**50,500**	**100,000**	**2,000,000**

3. Aqleb in-numri fi kliem:

eż. Pawlu twieled fl-(1983) <u>elf disa' mija, tlieta u tmenin</u>.
Marija twieldet fl-(1926) ....
Fl-1895 .... miet ix-xjenzat magħruf Louis Pasteur.

4. Wieġeb dawn il-mistoqsijiet.

Fi x'ħin qomt il-bieraħ filgħodu?
Fi x'ħin mort l-iskola?
Fi x'ħin bdejt tistudja?
X'ħin spiċċajt mil-lezzjonijiet?
X'ħin wasalt lura d-dar mill-iskola?
Fi x'ħin irqadt?
X'għamilt il-bieraħ?

5. Saqsi l-istess mistoqsijiet tar-4 eżerċizzju lil tad-dar u ikteb it-tweġibiet.

6. Ikteb kliem flok numri

Il-bieraħ filgħodu qomt fis-(7) ______________ . Sas-(7.30) ______________ inħsilt u lbist. Fit-(8) mort għax-xogħol. Wasalt fit-(8.15) u bdejt naħdem fit-(8.30) ______________ . Fid-(9.20) waqaft għall-kafè. Fl-(9.45) bdew ġejjin in-nies l-uffiċċju u ma waqaftx qabel (11.55) ______________ x'ħin mort niekol. Wara li ħadt nagħsa qbadt innaddaf sakemm ġie r-raġel fil-(5.30 p.m.) ______________ . Fis-(6.00) ______________ kilna u wara ħriġna passiġġata. X'ħin ġejna lura ntfajna naraw it-televixin sal-(11.45). F'(12.00) ______________ dħalna norqdu.

7. Imla l-vojt bil-verbi:

Jien il-bieraħ ______________ mingħand tal-ħaxix.
Marija l-ġimgħa l-oħra ______________ fis-sodda.
Nhar il-Ħamis li għadda ______________ .
Il-Milied li għadda ______________ .
Fl-anniversarju tas-sena l-oħra ______________ .

8. Agħmel lista tal-ħwejjeġ li tħobb tilbes:

għax-xogħol jew l-iskola,
fil-għaxija qabel tidħol torqod,
meta toħroġ ma' sħabek,
biex tmur il-quddies,
biex tmur tixtri,
meta tkun mistieden għal xi okkażjoni speċjali.

9. Għid u ikteb dawn li ġejjin:

eż. 112 tiġieġa
mija u tnax-il tiġieġa

213-il ħanżir
314-il għasfur
415-il baqra
516-il papra
617-il ħuta
718-il siġra
819-il-kewkba

10. Daħħal dawn il-prepożizzjonijiet fil-vojt

(ma', ta', lil, għal)

1. **Għat-tieġ se nistieden ________ xi ħbieb.**
2. **Din il-mużika ________ Smetana.**
3. **Morna l-Mosta ________ ommi.**
4. **Missieri ħa ________ oħti l-baħar.**
5. **"Dan il-pakkett ________ Marija", qalet il-pustiera.**
6. **Nippreferi l-opri ________ Verdi.**
7. **Jien inħobb nisma' l-mużika ________ Mario.**
8. **Dan il-platt se nerfgħu ________ missieri.**
9. **Sajjart torta ________ min għandu l-ġuħ.**
10. **It-tfal qalu ________ kulħadd fejn marru.**

11. Poġġi fin-negattiv:

1. **Jien għandi dar żgħira.**
2. **Marija xtrat villa l-Iklin.**
3. **Iz-zija marret toqgħod Ħal Balzan.**
4. **Missieru kellu flett San Ġiljan.**
5. **Aħna ngħixu ġo appartament il-Kanada.**

AQRA U ISMA'
READ AND LISTEN

Bejn żewġt iħbieb fl-iskola:

Rita: **X'lezzjoni għandek issa Lara?**
Lara: **Issa l-Malti u wara l-Ingliż. U inti?**
Rita: **Aħna issa x'ħin iddoqq il-qanpiena għandna l-Franċiż u mbagħad l-Istudji Soċjali.**
Lara: **Liema tippreferi?**
Rita: **Jiena nippreferi l-Franċiż għax ma nsibux tqil. Fl-Istudji Soċjali rridu naqraw aktar.**
Lara: **Jiena nsib il-Malti eħfef mill-Ingliż u jerġa' l-Ingliż eħfef mit-Taljan.**
Rita: **Il-Malti għalina l-eħfef u l-isbaħ lingwa imma l-lingwi l-oħra kollha importanti.**
Lara **X'qegħdin tagħmlu fil-Malti bħalissa?**
Rita: **Bħalissa qed nistudjaw lil Dun Karm fil-lezzjoni tal-poeżija u fil-grammatika qed nistudjaw il-verb.**
Lara: **Il-grammatika itqal mill-poeżija?**
Rita: **Insomma! Jien naħseb li jekk toqgħod attenta fil-klassi kollox tifhem.**
Lara: **Għalija l-letteratura l-itqal għax ma nafx kif nagħmel il-kritika letterarja. Il-poeżiji ma nifhimhomx.**
Rita: **U l-proża?**
Lara: **Le, l-proża togħġobni. L-istejjer li għandi din is-sena jogħġbuni. Daqqet il-qanpiena! Ciao!**
Rita: **Ciao!**

6 X'NIXTIEQ INSIR . . . !

Fis-sajf, filgħodu f'Malta jisbaħ kmieni. Ix-xemx tkun diġà telgħet fis-sitta ta' filgħodu. In-nies jibdew iqumu biex imorru għax-xogħol. L-ommijiet imorru jixtru l-ħalib, il-ħobż u l-gazzetta. Il-missirijiet jixorbu xi tazza tè u jħaffu lejn ix-xogħol. It-tfal iqumu għall-iskola.

Simona: **Inti fi x'ħin tqum filgħodu?**
Robert: **Jien ġeneralment inqum fis-sebgħa.**
Simona: **Inti fi x'ħin tqum filgħodu?**
Robert: **Jien ngħallem. L-iskola tibda fit-tmienja u nofs. Allura jekk nitlaq mid-dar fit-tmienja biżżejjed għax fi kwarta nasal. U inti?**
Simona: **Jien inqum qablek. Is-soltu nqum fis-sitta. Ninħasel u nilbes u naqbad il-karozza tal-linja f'xi s-sebgħa.**
Robert: **U fi x'ħin tibda x-xogħol?**
Simona: **Fis-sajf niftħu fit-tmienja.**
Robert: **U fix-xitwa?**
Simona: **Fix-xitwa fit-tmienja u nofs.**

GRAMMATIKA

Iktar prepożizzjonijiet.
Here are some more prepositions:

f'Malta	**fl-Awstralja**	**fir-Rabat**
f'Marsaxlokk	**fl-Italja**	**fir-Repubblika Ċeka**
f'Madrid	**fl-Ingilterra**	**fir-Russja**

ma'
ta'
lil
għal

Ma' min se toħroġ?
Ma' min se mmorru?
Ma' min se joqogħdu?

Il-ħbieb tiegħi se joqogħdu ma' Rita meta jiġu.
Aħna se mmorru ma' l-oħrajn.
Jien se noħroġ ma' l-għarus.

Ta' min hu dan il-ktieb?
Ta' min hi din il-ġakketta?
Ta' min huma dawn it-tfal?

Dawn it-tfal ta' Rita.
Din il-ġakketta ta' ħija.
Dan il-ktieb ta' Sandra.

Ma' min se toħroġ?

Lil min se tistieden għat-tieġ?
Lil min se tpoġġi xhud?
Lil min se nagħtuh il-premju?

Se nistieden lil kulħadd.
Se npoġġu lil Erik xhud.
Se nagħtuh lil Michael il-premju.

Għal min huma dawn il-fjuri?
Għal min hu dan il-programm?
Għal min se naħdmuh id-dramm?

Dawn il-fjuri għal oħtok.
Dan il-programm għal kulħadd.
Id-dramm se naħdmuh għat-tfal.

Il-prepożizzjoni ma' l-artiklu:
The prepositions joined to the article:

ta' + l- = ta' l- tal-
ma' + l- = ma' l- mal-

taċ-	**tad-**	**tan-**	**tar-**	**tas-**	**tat-**	**tax-**	**taż-**	**taz-**
maċ-	**mad-**	**man-**	**mar-**	**mas-**	**mat-**	**max-**	**maż-**	**maz-**
liċ-	**lid-**	**lin-**	**lir-**	**lis-**	**lit-**	**lix-**	**liż-**	**liz-**
għaċ-	**għad-**	**għan-**	**għar-**	**għas-**	**għat-**	**għax-**	**għaż-**	**għaz-**

Prepożizzjoni + suffissi pronominali:
The following are examples of prepositions joined to the pronominal suffixes:

Ma' min?	Ta' min?	Għal min?	Lil min?
miegħi	**tiegħi**	**għalija**	**lili**
miegħek	**tiegħek**	**għalik**	**lilek**
miegħu	**tiegħu**	**għalih**	**lilu**
magħha	**tagħha**	**għaliha**	**lilha**
magħna	**tagħna**	**għalina**	**lilna**
magħkom	**tagħkom**	**għalikom**	**lilkom**
magħhom	**tagħhom**	**għalihom**	**lilhom**

X'jagħmel missieri . . .

Missieri jsuq il-karozzi biex iġorr il-passiġġieri minn post għall-ieħor. Xi kultant isuq karozzi tal-linja kbar ħafna xi kultant vannijiet tat-turisti jew tat-tfal ta' l-iskola. L-agħar ħaġa meta jaħdem bil-lejl. Xi kultant nieħu gost immur indur miegħu bil-vann.
Alex

Il-papà tiegħi huwa tabib. Huwa jfejjaq it-tfal u n-nies morda. Xi kultant iċemplulu bil-lejl u jkollu jqum u jmur ħdejn il-pazjenti tiegħu. Jien nixtieq insir tabiba bħall-papà.
Maria

X'tagħmel ommi . . .

Il-mamà tgħallem fl-iskola primarja ta' fejn noqogħdu. Darba jien kont fil-klassi tagħha. Il-mamà żżomm ħafna dixxiplina fil-klassi Lit-tfal tħobbhom ħafna u tridhom jitgħallmu. Kuljum ikollha ħafna pitazzi x'tikkoreġi.
Sandro

Ommi hija pustiera, jiġifieri tqassam l-ittri lin-nies bieb bieb. Tqum kmieni ħafna filgħodu imma dejjem tkun tistennieni wara l-iskola. Ommi tħobbu dan ix-xogħol imma fis-sajf tħoss ħafna sħana u fix-xitwa tħoss ħafna bard. Jien inħobb nirċievi l-ittri.
Caroline

PRONUNZJA

Hemm kliem li jinkiteb bl- "h" u li jinstema' bil- "ħe"

ikrah **krieh**
iblah **blieh**
tah **rah** **semmieh**
fih **bih**
boloh **koroh**
henjin
f'sensih

Ix-xitan ikrah.
Iblah hu min ma jiħux prekawzjonijiet.
Kien sabiħ, imma meta kiber krieh.
Kien f'sensih, imbagħad f'daqqa waħda blieh.
Tah kollox meta għalaq għaxar snin.
Pawlu rah jilgħab il-flus.
Ir-radju semmieh il-ktieb tiegħek.
Henjin ta' qalbhom ħelwa!
Boloh huma dawk li jaħsbu li jafu kollox!
Kemm huma koroh il-maskarati barra minn żmienhom.
Bih u mingħajru xorta.
It-tè fih iz-zokkor.

ORTOGRAFIJA

Vokali ħdejn xulxin normalment ma joqogħdux jekk jinzertaw waħda fit-tarf ta' kelma u l-oħra fil-bidu tal-kelma li jmiss.

eż.
morna l-baħar
ġabu ċ-ċikkulata
kissirna l-prodott
ħriġna lkoll

Il-vokali "u" tinbidel f' "w"
marru ukoll = marru wkoll
ġejna ukoll = ġejna wkoll

Iżda il-kelma "u" ma tinbidilx
ommi u oħti
l-għarusa u ommha

żewġ vokali fin-nofs tal-kelma jitħallew
idea, realtà, kreatura, poeta, teoloġija

X' se ssir la tikber?
What will you do when you grow up?

kok

mastrudaxxa

librara

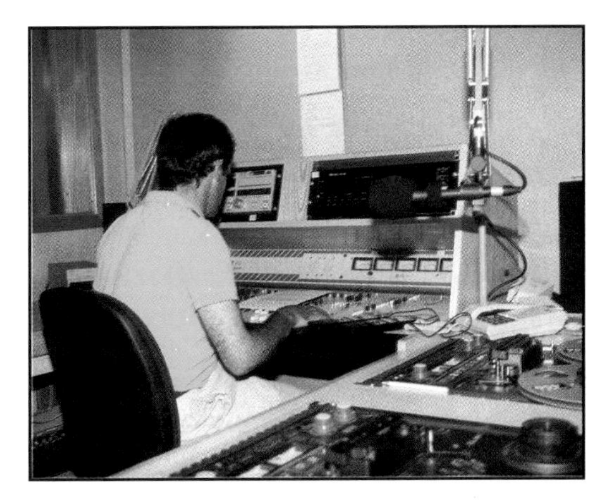

disc jockey

avukata

bankiera

Maskil	*Femminil*	*Plural*
kittieb	kittieba	kittieba
nutar	nutara	nutar
spiżjar	spiżjara	spiżjara
librar	librara	librara
furnar	furnara	furnara
pustier	pustiera	pustiera
ħajjat	ħajjata	ħajjata
għalliem	għalliema	għalliema
bankier	bankiera	bankiera
arkeologu	arkeologa	arkeoloġi
dentist	dentista	dentisti
kok	koka	koki
perit	perita	periti
kantant	kantanta	kantanti
negozjant	negozjanta	neozjanti
segretarju	segretarja	segretarji
attur	attriċi	atturi
pittur	pittriċi	pitturi
editur	editriċi	edituri
awtur	awtriċi	awturi

avukat	avukatessa	avukati
poeta	poetessa	poeti
tabib	tabiba	tobba
ners	ners	nersis
pulizija	pulizija mara	pulizija/pulizija nisa
mekkanik	mekkanik mara	mekkaniks
elektrixin	elektrixin mara	elektrixins
mastrudaxxa	mastrudaxxa mara	mastrudaxxi
wejter	wejtres	wejters

Now we are going to talk about a variety of jobs and carreers. Read out aloud. Act it out with your friends.

A: **Inti x'tagħmel?**
E: *What is your job?*
A: **Inti x'tagħmel?**
B: **Jien attur.**
E: *I'm an actor.*
B: **Jien attur.**
A: **U inti?**
C: **Jien kantant.**
E: *I'm a singer.*
C: **Jien kantant.**
A: **U inti?**
D: **Jien indoqq.**
E: *I play music.*
D: **Jien indoqq.**
A: **X'iddoqq?**
D: **Jien indoqq il-pjanu u l-vjolin.**
E: *I play the piano and the violin.*

B: **Fejn taħdem?**
E: *Where do you work?*
A: **Jien naħdem mar-Radju ta' l-Università.**
B: **U inti?**
C: **Jien inkanta.**
E: *I'm a singer.*

C: **Jien inkanta kważi kull filgħaxija fil-lukandi.**
E: *I sing almost every evening in hotels.*
C: **Jien inkanta kważi kull filgħaxija fil-lukandi. U inti?**
B: **Jien naħdem il-films.**
C: **Minn dejjem kont tagħmel dan ix-xogħol?**
E: *Have you always done this work?*
C: **Minn dejjem kont tagħmel dan ix-xogħol?**
B: **Le. Jien għamilt ħafna xogħlijiet differenti.**
E: *No. I have done many different things.*
B: **Jiena ħdimt f'ħafna postijiet differenti.**
E: *I have worked in many different places.*
B: **L-ewwel kont ngħallem.**
E: *First I was a teacher.*
B: **L-ewwel kont ngħallem, jiġifieri kont għalliem.**
C: **Fejn kont tgħallem?**
E: *Where did you teach?*
C: **Fejn kont tgħallem?**
B: **Kont ngħallem fi skola sekondarja.**
C: **Fejn?**
B: **Il-Mosta.**
C: **Imbagħad?**
E: *And then?*
B: **Imbagħad kont naħdem il-bank.**
E: *Then I used to work at the bank.*
B: **Imbagħad kont naħdem il-bank.**
C: **Il-bank naħseb li kellek ħinijiet tajbin.**
E: *At the bank I think that you had good working hours.*
C: **Il-bank naħseb li kellek ħinijiet tajbin.**
B: **Iva. Mhux ħażin. Imma l-ħinijiet mhux kollox.**
E: *But working hours are not everything.*
B: **Imma l-ħinijiet mhux kollox.**
C: **U lanqas il-flus.**
B: **Le, lanqas il-flus. Il-flus m'humiex kollox.**
E: *No, neither the money. Money is not everything.*
B: **Le, lanqas il-flus. Il-flus m'humiex kollox.**
C: **L-importanti li tkun għal qalbek.**
E: *The most important thing is that you enjoy what you do.*
C: **L-importanti li tkun għal qalbek.**
B: **Hekk hu.**

A: **Inti fejn taħdem?**
D: **Jien naħdem f'aġenzija ta' l-ivvjaġġar.**
E: *I work in a travel agency.*
D: **Jien naħdem f'aġenzija ta' l-ivvjaġġar.**
A: **Tiegħek l-aġenzija?**

E: *Is it your agency?*
A: **Tiegħek l-aġenzija?**
D: **Iva. Issa tiegħi.**
A: **U qabel?**
E: *And previously?*
A: **U qabel?**
D: **Qabel kont impjegata hemmhekk.**
E: *Previously I was employed there.*
D: **Qabel kont impjegata hemmhekk.**
A: **Issa aħjar?**
E: *Is it better now?*
A: **Issa aħjar?**
D: **Issa ħafna aħjar.**

GRAMMATIKA

Il-plural sħiħ

biż-żieda ta' "a"

ħajjat	**ħajjata**
nutar	**nutara**
infermier	**infermiera**
bennej	**bennejja**
biċċier	**biċċiera**
pustier	**pustiera**
kittieb	**kittieba**

Fil-każ taż-żieda ta' "a" fil-plural, l-istess kelma tista' tfisser ukoll il-femminil singular.
In those words where the letter "a" is added to form the plural, the same word is used as singular feminine.

bl-użu ta' "i"

student/studenta	**studenti**
sular	**sulari**
kuġin/kuġina	**kuġini**
appartament	**appartamenti**
karozza	**karozzi**

bl-użu ta' "in"

Malti/Maltija	**Maltin**
Għawdxi/Għawdxija	**Għawdxin**
barrani/barranija	**barranin**
tajjeb/tajba	**tajbin**
bniedem	**bnedmin**
qassis	**qassisin**

Mid-dinja tax-xogħol.

Fil-gazzetti ġieli jkun hemm sejħa għal impjegati ġodda. Kieku int x'xogħol jogħġbok tagħmel? Għaliex?

Immaġina li trid tapplika għal xi xogħol. Trid iċċempel lill-kumpanija li qed tirreklama biex titlob iktar informazzjoni dwar l-impjieg. Sieħbek irid jirrispondi d-domandi tiegħek taparsi qed iwieġeb f'isem il-kumpanija.

Tista' tistaqsi:
Jekk jogħġbok nixtieq inkun naf . . .
Tista' tgħidli . . .
liema huma l-ħinijiet tax-xogħol?
kemm hi l-paga?
x'ċans hemm ta' promozzjoni?
kemm-il wejter għandkom bżonn?
sa meta hemm ċans biex napplikaw?
meta taħseb li jsiru l-intervisti?
x'għandi nagħmel eżattament biex napplika?
xi kwalifiki qed tfittxu/ titolbu/ tistennew?

Jista' jwieġbek:
il-ħinijiet tax-xogħol huma mit-tmienja ta' filgħodu sal-ħamsa ta' filgħaxija
il-paga hi ta' tletin lira fil-ġimgħa/ ta' żewġ liri s-siegħa
wara ħames snin titla' fil-grad u tieħu ż-żieda
għandna bżonn sitt ħaddiema/ tliet sprejers/ erba' periti
għandek ċans sa nhar it-Tlieta 5 ta' Mejju
l-intervista ssir xahar wara li tapplika
nixtiequ nies għallinqas biċ-ċertifikati fil-livell ordinarju
biex tapplika ikteb ittra lill-maniġer

Valerie għadha kif spiċċat l-iskola u fuq il-gazzetta qrat li f'fabbrika tat-tessuti jeħtieġu ħajjata. Din hi l-ittra ta' l-applikazzjoni tagħha biex tidħol taħdem.

Valerie Borġ,
Dar il-Wens,
Triq il-Fjuri,
Ħal Tarxien PLA 09.
6 ta' Marzu 1995

Lill-Maniġer,
BSV Textiles,
Qasam Industrijali,
San Ġwann SĠN 12

Sinjur/a,

Jien tfajla ta' tmintax-il sena u għadni kif temmejt b'suċċess l-iskola tal-ħjata.

Qrajt fuq il-gazzetta li teħtieġu ħajjata *fulltime* fil-fabbrika tagħkom ta' San Ġwann, u qiegħda napplika biex nidħol magħkom.

Minn barra t-taħriġ li ħadt mill-iskola, għal xi żmien ħdimt ukoll maz-zija, f'ħanut tal-ħwejjeġ u għaldaqstant xi ftit esperjenza f' dan il-qasam għandi. L-interess fil-ħjata ilu minn tfuliti u fil-fatt lil ħuti tgħidx kemm ħittilhom ħwejjeġ.

Fil-waqt li nittama li ningħata l-opportunità naħdem magħkom,

Għoddni dejjem tiegħek,

Valerie Borġ.

Issa li qrajt l-applikazzjoni ta' Valerie Borġ biex tidħol bħala ħajjata ġo fabbrika tat-tessuti, agħżel xogħol li jgħodd għalik u applika għalih.

EŻERĊIZZJI

1. Irrakkonta paġna mid-djarju tiegħek.

2. Ħares lejn it-timetable ta' Chris, student fir-raba' klassi tal-Liċeo Minuri (Junior Lyceum).

	IT-TNEJN	*IT-TLIETA*	*L-ERBGĦA*	*IL-ĦAMIS*	*IL-ĠIMGĦA*
08.30	Malti	English	Italian	Maths	Religion
09.30	English	Maths	Chemistry	Physics	PE
10.30	Maths	Malti	Chemistry	Religion	Art
11.30	French	Physics	English	Malti	Biology
BREAK					
13.00	Religion	Chemistry	Maths	Italian	French
14.00	Biology	PE	English	Italian	Maths

1. **Nhar ta' Tnejn fit- tmienja u nofs ta' fil-għodu Chris ikollu ....**
2. **Ir-raba' lezzjoni l-Ħamis tkun ....**
3. **... wara nofsinhar Chris ikollu lezzjoni doppja Taljan.**
4. **Kuljum it-tifel ikollu lezzjoni ta' ....**
5. **Nhar ta' Ġimgħa fis-................................ lezzjoni Chris ikollu lezzjoni tal-Franċiż.**

3. Imla l-vojt bil-kelma t-tajba:

1. **Il-Ġografija (tqil)....................................... mir-Reliġjon.**
2. **Pawlu (oħxon)......................minn Patrick anke jekk jidher (irqiq)...............................**
3. **L-(għoli) .... muntanja hi l-Everest.**
4. **L-Awstralja(kbir)........................... mill-Italja.**
5. **Il-Mercedes titqies bħala (sabiħ)........................ karozza.**

4. Imla l-vojt b'oġġetti li tixtri.

eż. Il-larinġ itjeb mill-*ħawħ*

_______________ aħjar mi _______________

_______________ agħar mi _______________

_______________ eħfef mi _______________

_______________ itqal mi _______________

_______________ isbaħ mi _______________

_______________ iżgħar mi _______________

_______________ ikbar mi _______________

_______________ iktar ikrah mi _______________

_______________ jimliek aktar mi _______________

Żid iżjed sentenzi minn tiegħek.

5. Kompli fil-vojt

1. **Biex tilħaq avukat trid tmur l-università.**
2. **Biex tilħaq elektrixin trid tmur** _______________.
3. **Biex issir ners trid tmur** _______________.
4. **Biex tilħaq tabib trid tmur** _______________.
5. **Biex issir mastrudaxxa trid tmur** _______________.
6. **Biex issir wejter trid tmur** _______________.
7. **Biex issir segretarja trid tmur** _______________.
8. **Biex tilħaq għalliem trid tmur** _______________.

6. Uża f', fl-, fir-

1. **Fejn jinsabu l-katakombi ta' San Pawl? _____ Rabat.**
2. **Fejn jagħmel ħafna silġ? _____ Russja.**
3. **Meta Malta jkun is-sajf, fejn ikollhom ix-xitwa? _____ Awstralja.**
4. **Fejn hi n-Niġerja? _____ Afrika.**
5. **Fejn hemm ħafna sajjieda Maltin? _____ Marsaxlokk.**

7. Daħħal fil-vojt il-prepożizzjoni magħquda ma' l-artiklu.

1. **Dan il-kejk ta' xiex inhu? _____ –ċikkulata.**
2. **Ma' min ħareġ it-tifel? _____ ħbieb tiegħu.**
3. **Lil min se tieħu magħha n-nanna? _____ neputijiet.**
4. **Għal min hu dar-rigal? _____għarusa.**
5. **Ta' min hi din il-libsa? _____ tifla.**
6. **Għal min se tixtrih iż-żarbun? _____ tifel.**
7. **Ma' min se ssiefer fis-sajf? _____ ħabiba tiegħi.**
8. **Għal min hu dal-programm? _____ barranin.**
9. **Lil min se tistiednu d-dar? _____ zijiet.**
10. **Ma' min se mmorru l-lejla? _____ Mario.**

8. Agħżel it-tajba.

1. **Din il-karozza (tiegħi, lili).**
2. **Dawn il-kotba (għalikom, magħkom).**
3. **It-tfal joħorġu (għalina, magħna) nhar ta' Ħadd.**
4. **Ir-ritratti bagħathom (lili, tiegħi).**
5. **Xtrajt ħafna logħob (għalihom, magħhom).**
6. **"It-tabiba qiegħda (magħha, lilha)", qalet in-ners.**
7. **"Jien nixtieq nara (lilu, għalih)", qalet l-għarusa għall-għarus tagħha.**
8. **Dawn il-kotba kollha (tiegħek, miegħek)?**
9. **"Ħu lit-tfal (miegħek, għalik)", qal il-missier lill-omm.**
10. **"Tiħux (għalik, miegħek). Jien niċċajta!" qal il-buffu.**

AQRA U ISMA'
READ AND LISTEN

Intervista għall-post ta' maniġer ta' restorant f'lukanda.

L-applikant:	**L-għodwa t-tajba, sinjur.**
Il-maniġer:	**Bonġu, kif int?**
L-applikant:	**Mhux ħażin grazzi.**
Il-maniġer:	**Mela, int is-sur Mifsud li toqgħod 15 Triq il-Wied, is-Swieqi, hux hekk?**
L-applikant:	**Iva hekk hu.**
Il-maniġer:	**U għandek dawn il-kwalifiki: ħdax-il suġġett fil-livell ordinarju, tlieta fil-livell avvanzat, diploma mill-Istitut tat-Turiżmu u tliet snin esperjenza. X' ġiegħlek taqbad din il-linja, Sur Mifsud?**
L-applikant:	**Kien hemm bosta raġunijiet sinjur. Qabel xejn, minn mindu kont nitfa ta' tifel dejjem kont nistħajjilni sid ta' xi restorant. Il-kamra tiegħi kont narmaha daqslikieku kienet sala ta' l-ikel. Barra minn hekk missieri jaħdem bħala wejter u sa minn kmieni ħarriġni fil-manjieri u l-metodi tat-tqassim ta' l-ikel.**
Il-maniġer:	**Emm . . . U x' ġiegħlek tagħżel din il-lukanda Sur Mifsud?**
L-applikant:	**Naf minn xi artikli barranin għat-turisti li din il-lukanda għandha fama tajba għax toffri servizzi ta' l-ogħla klassi u għaldaqstant nixtieq nidħol naħdem f' post fejn nieħu sodisfazzjon u fl-istess ħin nagħti daqstant ieħor.**
Il-maniġer:	**Proset. Qed nieħu pjaċir nisimgħek tgħid hekk. Imma issa li kieku l-lukanda tibda sejra lura, int tibqa' taħdem magħna?**
L-applikant:	**Jiddependi minn ħafna fatturi. Li nista' nassigurak hu li jien nagħmel l-almu tiegħi biex il-lukanda żżomm il-livell għoli li għandha.**

---

7 DAWRA BIL-KAROZZA

Liema karozza togħġbok l-iżjed?

Din hi l-liċenzja tas-sewqan ta' Marika

Marika ferħana għax ġabet il-liċenzja tas-sewqan. Telgħet għat-test sitt xhur ilu u wara li għaddiet mit-test marret tibbukkja karozza kif togħġob lilha.

Il-ħabiba ta' Marika, Simona, li hi minn Għawdex, għandha bżonn karozza.
"Nixtieq nixtri karozza biex inkun iżjed komda ġejja u sejra Għawdex," qalet Simona.
"Malta kważi kulħadd għandu l-karozza privata tiegħu," qaltilha Marika.
"B'tal-linja tinqeda bi nhar, imma bil-lejl?" għaddiet kumment omm Simona.
"Roti ftit li xejn tara mat-toroq ħlief għal dawk id-dilettanti li jtellqu r-roti bħala sport," qal ħuha.
"Il-muturi perikolużi ħafna u jagħmlu wisq storbju," qalet ommha.
"Issa ddeċidejt. Irrid nixtri karozza. Imma liema waħda?"

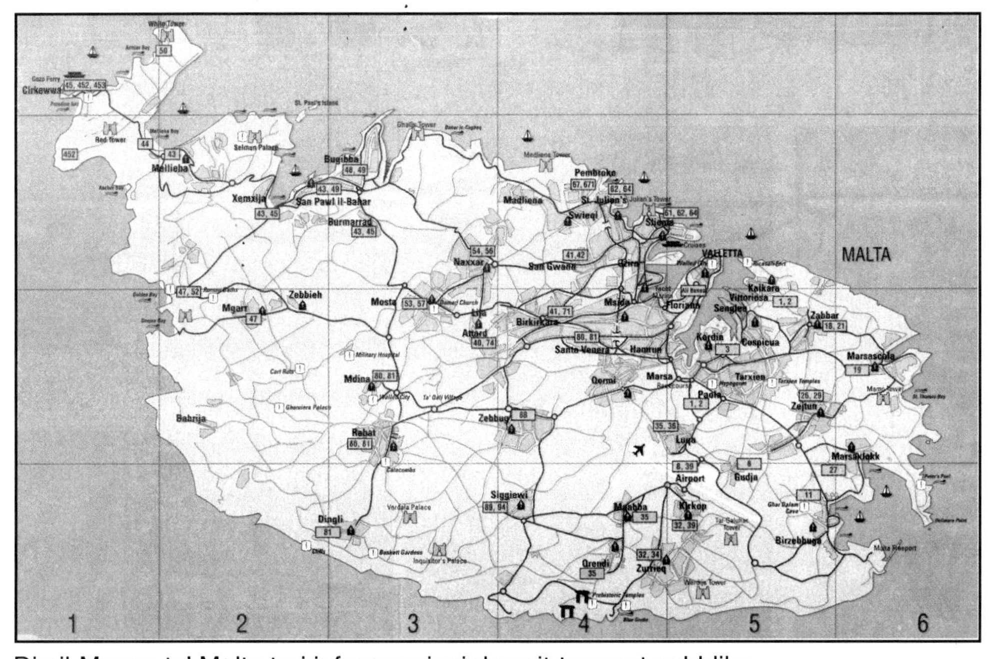

Din il-Mappa ta' Malta turi informazzjoni dwar it-trasport pubbliku

Ħares lejn il-mappa tal-karozzi tal-linja f'Malta. Wieġeb il-mistoqsijiet.

1. **Liema karozza għandek bżonn biex tmur l-Imdina? Minn fejn tgħaddi sakemm tasal?**
2. **Fejn tmur il-karozza numru 34?**
3. **Biex tmur Marsaxlokk mill-Belt liema karozzi tista' taqbad?**
4. **Liema hi l-iżjed rotta mbiegħda mill-Belt?**
5. **Inti liema karozza taqbad biex tmur il-Belt minn fejn toqgħod?**
6. **Liema karozzi jkollok bżonn biex tmur minn Ħal Luqa sa San Ġwann? Kif trid tagħmel biex tasal?**
7. **Kif tagħmel biex tmur b'tal-linja minn**
   (i) Ħad-Dingli san-Naxxar
   (ii) mill-Mosta sa Ħaż-Żebbuġ
   (iii) mill-Università sa Birżebbuġa
   (iv) mill-Ajruport sa Buġibba
   (v) miċ-Ċirkewwa sal-Belt
   (vi) minn San Pawl il-Baħar sal-Qrendi
   (vii) mis-Siġġiewi sa Tas-Sliema
   (viii) minn Marsascala sal-Belt

UŻU TA' TABELLI TAT-TRAFFIKU

ma tistax tipparkja

ma tistax tidħol

ieqaf

ma tistax iddur fuq ix-xellug

tista' ssuq ir-rota
tista' taqla'

ma tistax issuq ir-rota
ma tistax taqla'
ma tistax iddur mal-lemin
ma tistax issuq max-xellug
ma tistax tgħaddi
ma tistax iddaħħal klieb

Ma tistax tipparkja

Nista' nipparkja hawnhekk?
Iva, hawnhekk tista' tipparkja.

Nistgħu nsuqu r-rota fit-triq?
Iva, f'din it-triq tistgħu.

Tista' taqilgħu lil ta' quddiemna?
Iva, issa nista'.

Nista' npejjeq, jekk jogħġobkom.
Aħjar le, grazzi.

Nista' ndawwar mal-lemin?
Le, ma tistax.

Nistgħu ngħaddu minn dik it-triq?
Le, skond is-sinjal ma nistgħux.

Tista' ddaħħlu miegħek dak il-kelb?
Le, ma tistax.

LISTEN

Djalogu bejn Rachel u Marconia, żewġ tfajliet li għadhom kif temmew l-iskola sekondarja.

Rachel:	**Bonġu Marconia. Kif int?**
Marconia:	**Mhux ħażin grazzi, u int?**
Rachel:	**Issa aħjar li l-iskola sa fl-aħħar spiċċat.**
Marconia:	**Għala, mela kont imdejqa?**
Rachel:	**Le lanqas xejn imma dawk l-eżamijiet jifnuk.**
Marconia:	**Iva nifhmek. Għalija l-kbir għadu ġej.**
Rachel:	**Il-għala Mar?**
Marconia:	**Nixtieq nidħol l-Università u l-eżamijiet tgħidx kemm huma tqal. Mhux faċli tgħaddi minnhom.**
Rachel:	**Ma stajtx għażilt xi kors eħfef?**
Marconia:	**Le ma stajtx Rach, għax jien nixtieq insir għalliema.**
Rachel:	**Ikolli ngħid li l-kors tiegħek hu itqal minn tiegħi tabilħaqq. Ħa ngħidlek imma int kapaċi tkompli tistudja għax moħħok jagħtik.**
Marconia:	**Le kieku għal daqshekk ma naqtax qalbi. L-eżamijiet tal-Matsec kollha ġibthom.**
Rachel:	**Nawguralek mela Marconia u ddeverti u strieħ fis-sajf.**
Marconia:	**Grazzi Rachel u ħu gost int ukoll.**

GRAMMATIKA

Il-partiċella "mhux" turi n-negattiv:
The word "mhux" denotes the negative:

Kif inti? Mhux ħażin, grazzi.
Mhux kollox tajjeb għas-saħħa.
Mhux se mmorru ngħumu.
Mhux kull ma jleqq deheb.
"Mhux imbilli tgħid int!"
qalet l-omm.

In-negattiv b'"mhux" mal-pronomi personali:
The following shows the use of the personal pronouns in the negative:

jien m'inix	**M'inix se noħroġ il-lejla.**
int m'intix	**M'intix twila biżżejjed biex issir pulizija.**
hu mhux, mhuwiex	**Mhux se jiżżewweġ.**
hi mhix, mhijiex	**Mhix mistiedna għat-tieġ.**
aħna m'aħniex	**M'aħniex Amerikani.**
intom m'intomx	**M'intomx f'sensikom.**
huma m'humiex	**M'humiex qed jigdbu.**

Bil-Malti meta nikkmandaw jew nordnaw ngħidu hekk:
The following are examples of commands:

iddeverti	**iddeverti**	**iddevertu**
strieħ	**strieħ**	**strieħu**
ħu gost	**ħu gost**	**ħudu gost**
studja	**studja**	**studjaw**
aqra	**aqra**	**aqraw**
ikteb	**ikteb**	**iktbu**

Maniġer ta' fabbrika jagħti ordnijiet bħal dawn:
The following are examples of orders given by a factory manager:

aħdem	**kompli**	**ħaffef**	**lesti**	**mexxi**
aħdmu	**komplu**	**ħaffu**	**lestu**	**mexxu**

PRONUNZJA

L-intonazzjoni tal-mistoqsija.

Bil-Malti tista' tkun biss l-intonazzjoni li tbiddel is-sens tas-sentenza minn dik ta' stqarrija għal waħda ta' mistoqsija. Isma' s-sentenzi li ġejjin. Kull sentenza se tismagħha darbtejn. L-ewwel bħala stqarrija, u mbagħad bħala mistoqsija.
In Maltese, the meaning of a sentence may change by simply changing the intonation. In the following examples you will hear the same sentences that change their meaning from that of a statement to a question according to the intonation.

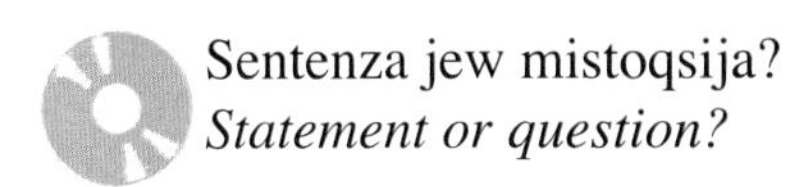

1. **Ix-xemx titla' kull filgħodu.**
2. **Fis-sajf tagħmel ħafna sħana.**
3. **Bil-lejl ikun dawl ta' qamar.**
4. **Ix-xemx l-iżjed li tkun taħraq wara nofs in-nhar.**
5. **Iz-zokk tas-siġar ġeneralment ikun kannella.**
6. **Fil-ħamrija jaqa' l-weraq.**
7. **Fir-rebbiegħa l-għasafar jibdew ipespsu.**
8. **F'Jannar il-qtates ikollhom il-frieħ.**
9. **Il-lampuka hija ħuta tajba għall-ikel.**
10. **Il-kotba kollha tqal.**

---

11. **It-tfajla tiżen 55kg.**
12. **Id-dar fiha żewġ sulari.**
13. **Qed jitkellem m'ommu.**
14. **Kien hemm erbat itfal.**
15. **Qed jikteb ittra lill-ħabiba.**
16. **Siefer wara sitt ijiem.**
17. **It-tifel imur il-kindergarten.**
18. **Din is-sena x-xitwa se tibda kmieni.**
19. **Hemm ħafna storbju barra.**
20. **Aħjar tixgħel ir-radju.**

ORTOGRAFIJA

Kliem missellef li fl-ilsien oriġinali minn fejn ġej għandu l-vokali "i" bħala parti integrali mill-kelma, fil-Malti jibqa' jżomm din il-vokali.

Those words in Maltese borrowed from another language, will retain the first vowel found if they have it in the original language, even when in Maltese it occurs after another vowel.

hija importanti
konna interessati
kienu injoranti
hu introduċa l-prodott

konna ffamiljarizzajna ruħna magħhom
huwa ppreżenta t-teżi
hija pprotestat

Tonio, Maria u Pawlu, emigranti Maltin fl-Awstralja, waqt iż-żjara tagħhom f'Malta iddeċidew li jqattgħu tlett ijiem Għawdex.

Maria: **Mela, nhar il-ġimgħa se mmorru Għawdex mal-vapur tat-tmienja, hux?**
Tonio: **Mhux hekk għamilna fl-aħħar mawra tagħna f'Malta?**
Pawlu: **Naħsbu kmieni għax dak il-ħin min jaf x'ikun hemm tan-nies!**
Tonio: **U le nsomma.**
Maria: **Allura mbagħad għall-ġimgħa filgħaxija għandna kollox ippjanat. Kemm immorru l-lukanda, inpoġġu l-affarijiet u wara noħorġu nieklu.**
Pawlu: **Is-Sibt x'ħa nagħmlu?**
Maria: **Jien nixtieq immur il-Gozo Heritage għax qaluli li sabiħ.**
Tonio: **Hemmhekk x'hemm?**
Maria: **Hemm l-istorja t'Għawdex irrakkuntata permezz ta' statwi u hekk. Tidħol u timxi minn kamra għall-oħra u tisma' l-istorja bil-mużika u hekk. Qaluli li ta'min imur jarah. La ħa nkunu hemm dnub ma mmorrux.**
Pawlu: **Bħal mużew. Mhux ta' min jitlef l-okkażjoni.**
Tonio: **Fejn ħa mmorru ngħumu?**
Pawlu: **Naħseb l-aħjar ix-Xlendi. Għall-parking mhix problema. Il-bajja aħjar minn Marsalforn. U biex tiekol f'nofs in-nhar mhix problema lanqas.**
Tonio: **Mela kif se nqassmuha l-ġurnata?**
Maria: **Ara jien nissuġġerixxi li l-ewwel immorru l-Gozo Heritage. Imbagħad imissna mmorru l-Ġgantija ħa nżommu ruħna daqsxejn aġġornati ma' l-istorja ta' Malta. Imbagħad nistgħu mmorru x-Xlendi, ngħumu u nieklu hemm. U jkollna ċans nixxemmxu ftit.**
Tonio: **Int hekk moħħok. Ara jien diġà iswed biżżejjed!**
Pawlu: **Sa x'ħin se ndumu x-Xlendi?**

Maria: **Mhux sa x'ħin nixbgħu. Ħadd m'hu sidna. Jekk immorru l-lukanda wara nofs in-nhar nistgħu nistrieħu ftit, nieklu hemmhekk, imbagħad nerġgħu noħorġu tard filgħaxija.**

Pawlu: **Ħa ngħidilkom, id-disco t'Għawdex l-aħjar wieħed. Malta m'hemmx wieħed iħabbatha miegħu.**

Maria: **Fl-aħħar forsi naqta' xewqti u nara x'ikun hemm dan l-għaġeb kollu!**

Espressjonijiet
Expressions

naħsbu kmieni
eż. **naħsbu kmieni biex naqbdu l-vapur**

Inti s-soltu meta tħobb taħseb kmieni ħafna?

ħsibna tard
eż. **ħsibt tard wisq biex nibda nistudja għall-eżami**
għalhekk m' għaddejtx

Qatt ġralek li ħsibt tard wisq u kellek issofri l-konsegwenzi?

min jaf
eż. **min jaf kemm hemm sabiħ l-Alaska!**

Kif qed tħossok bħalissa? Min jaf?

mur ara
eż. **mur ara x'ħa tieħu b'daqshekk, billi toqgħod tgħid**
kontra ħabibitha!

ta' min
eż. **ta'min imur jarah dak il-film għax sabiħ.**
ta' min jgħid li batiet ħafna biex waslet fejn waslet
ta' min jipprova jixtri dar Għawdex
ta' min jitgħallem il-Malti
ta' min imur sax-Xlendi

mhux ta' min . . .
eż. **mhux ta' min jipprova jtir!**
Liema affarijiet taħseb li huma ta' min jagħmilhom?
Liema affarijiet taħseb li mhux ta' min jagħmilhom?

ħadd m'hu sidi
eż. **fil-vaganzi nagħmel li rrid għax ħadd m'hu sidi.**

Meta tħossok li verament ħadd m'hu sidek?

iħabbatha miegħu
eż. **dik id-diska tħabbatha ma' l-aqwa diski li qatt ħarġu**

Liema film, diska, dramm, karozza eċċ. taħseb li jħabbatha ma' l-aqwa fosthom?

naqta' xewqti
eż. **ilni ħafna nixtieq immur l-Awstralja. Issa fl-aħħar forsi naqta' xewqti għax se mmur das-sajf.**

Liema xewqat għadek tixtieq taqta' fil-ħajja?

dan l-għaġeb kollu!
eż. **għalfejn dan l-għaġeb kollu, qisek qatt ma rajt xejn!**

Bil-Malti ngħidu wkoll:
norqod raqda
niekol ikla
ngħum għuma
niġri ġirja
nilgħab logħba
noħroġ ħarġa
nixtri xirja
mmur mawra

Daħħal dawn l-espressjonijiet f'sentenzi.
Kapaċi ssib xi espressjonijiet oħra bħalhom?

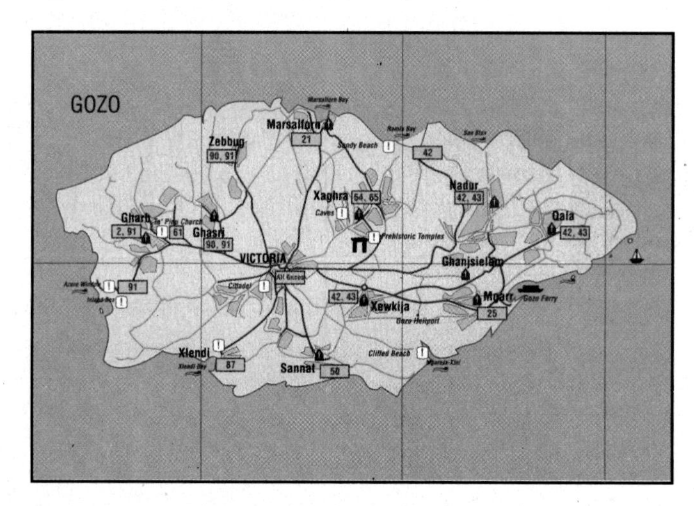

Ħares lejn il-mappa t'Għawdex.
Liema rħula mort?
Liema bajjiet rajt s'issa?
Fejn jogħġbok l-iżjed?
Fejn tixtieq tmur ġo Għawdex għax għadek qatt ma mort?
X'jogħġbok l-iżjed Għawdex?
Hemm xi ħaġa li ma togħġbokx Għawdex?

Aqra din l-informazzjoni dwar dawn il-postijiet f'Għawdex. Ippjanaw bejnietkom mawra ta' ġurnata jew ta' jumejn għal Għawdex.

Iċ-Ċittadella

Ir-Rabat, jew Victoria, hija l-belt kapitali t'Għawdex. Iċ-Ċittadella hija l-parti l-antika mdawra bis-swar. Tinsab fuq għolja u tidher minn ħafna partijiet t'Għawdex. Fiċ-Ċittadella hemm il-Kattidral iddedikat lil Santa Marija. Hemm ukoll il-qorti t'Għawdex, il-mużew tal-folklor u ħafna djar qodma ġo toroq dojoq ħafna, ilkoll miżmumin tajjeb ferm.

Il-Ġgantija

It-Tempji Neolitiċi tal-Ġgantija jinsabu fir-raħal tax-Xagħra. Huma tempji Megalitiċi għax huma mibnija minn ġebel kbir ħafna. Għandhom madwar 5000 sena.

Fix-Xagħra nsibu wkoll żewġ għerien, l-għar ta' Ninu u l-għar ta' Xerri. Dawn l-għerien fihom ħafna "Stalactites" u "Stalagmites", jiġifieri kolonni tal-ġebel li ġie ffurmat mill-ilma jqattar matul eluf ta' snin.

Is-Santwarju ta' Pinu

Dan is-Santwarju tal-Madonna huwa post ta' devozzjoni lejn il-Madonna. Fl-1883, Karmni Grima, li kienet toqgħod viċin, semgħet lill-Madonna tkellimha. Frenċ ta' l-Għarb, ukoll bidwi mill-viċin, kellu dehriet mill-Madonna. Huwa kien imsemmi għall-mediċini li kien jagħmel mill-ħxejjex. Fl-1990, il-Qdusija Tiegħu il-Papa Ġwanni Pawlu II żar dan is-Santwarju waqt iż-żjara li għamel f'Malta u Għawdex.

Il-Ġebla tal-Ġeneral

Ġewwa d-Dwejra, hemm Ġebla kbira mdawra bil-baħar kaħlani, magħrufa bħala "il-Ġebla tal-Ġeneral". L-għoli ta' din il-ġebla jvarja minn għaxar piedi sa ħamsin pied. L-isem tagħha ġej minn ġeneral tax-xwieni ta' l-Ordni ta' San Ġwann li kixef fuqha għall-ewwel darba l-famuż "Fungus Gaulitanus" jew kif inhu magħruf fil-kotba tal-mediċina "Fungus Coccineus Melitensis". Wara dan il-kxif tal-fungus bdew isejħulha "Il-Ġebla tal-Fungus" u llum hija magħrufa bħala "Il-Ġebla tal-Ġeneral".

Is-Salini

L-industrija tal-melħ hija waħda mill-eqdem industriji t'Għawdex. Is-salini huma forma ta' kaxxi maqtugħin fil-blat, qrib il-baħar. Ħafna minnhom ilhom jeżistu mill-1740. Il-mewġ jimla dawn il-ħofor bl-ilma baħar fil-maltemp, waqt li fis-sajf l-ilma jevapora u jħalli l-melħ warajh. Is-salini ta' Marsalforn u l-Qbajjar huma l-akbar salini f'Għawdex u jipproduċu tunnellati sħaħ ta' melħ fis-sena.

Lura lejn l-Awstralja

Wara xahrejn vaganzi Malta, il-familja Bartolo waslilha ż-żmien biex terġa' lura lejn l-Awstralja. It-tfal Glenn u Sally għamlu f'qalbhom. Kienu draw joħorġu jilagħbu u jiddevertu mal-kuġini tagħhom Paul u Joanne fir-raħal kwiet tal-Bidnija.

Iz-zija Grezz min-naħa tagħha kienet drat ukoll il-kumpanija tal-familja t'oħtha Lucy. Meta Lucy staqsietha biex tinżel l-Awstralja magħhom, iz-zija nħasdet xi ftit, imma ferħet ukoll u laqgħet l-istedina b'idejha miftuħa. Hekk jew hekk issa ma kellhiex aktar x'tagħmel id-dar, la kienet se terġa' tisfa waħidha, la darba t-tfal t'oħtha kienu se jerġgħu lura mal-ġenituri lejn l-Awstralja.

Immaġina li int Glenn jew Sally. Irrakkonta kif qattajt il-vaganzi hawn Malta.

a. **X'postijiet interessanti kont tmur iżżur?**
b. **Fejn kont tmur tgħum?**
ċ. **Minn fejn kont tmur tixtri u x'kont tixtri?**
d. **X'deherlek mit-tfal Maltin?**
e. **X'għoġbok fil-kampanja Maltija?**
f. **X'm'għoġbokx?**

Biex iz-zija Grezz tmur lura mal-familja Mifsud minn Malta għall-Awstralja, se tkun teħtieġ xi karti għax iz-zija qatt ma siefret. Malcolm, ir-raġel ta' Lucy wasal wasla sal-Belt u ħa ħsieb jara x'kellha bżonn iz-zija biex issiefer. Dam ftit sakemm sab id-dipartimenti li ried għax il-belt ta' llum m'għadhiex il-belt ta' żmienu, qabel ma emigra lejn l-Awstralja.

Biex issiefer minn Malta teħtieġ:

a. **Passaport validu.**
Biex tagħmel passaport ġdid jew iġġedded wieħed li skada hemm tliet formoli differenti:
i. għat-tfal taħt is-sittax-il sena,
ii. għan-nies ta' 'l fuq minn sittax-il sena,
iii. għal dawk li jkunu jridu jġeddu l-passaport.

b. **Il-karta tat-tluq.**
Qabel iħalli Malta kull min ikun se jsiefer irid jimla l-karta tat-tluq. Din tingħata fl-ajruport mill-aġent ta' l-ivvjaġġar jew l-iskrivani fuq il-counter.

Imla l-karta tat-tluq kif suppost u tista' tlesti biex issalpa.

Il-vjaġġ it-tajjeb u meta tridu erġgħu ejjew żuruna!

EŻERĊIZZJI

1. Wieġeb u staqsi lil sħabek:

1. **Inti għandek karozza?**
2. **X'karozza għandek?**
3. **Meta xtrajtha?**
4. **Għaliex għażilt lilha?**
5. **Kemm xtrajtha?**
6. **Kemm ilha għandek?**
7. **Kemm tużaha?**
8. **Meta ssuqha?**
9. **Il-karozza tiegħek għal qalbek qiegħda?**

2. Wieġeb dawn il-mistoqsijiet billi tkompli fil-vojt:

1. **Intom se toħorġu l-lejla? Le,** ______________________ .
2. **Betty se tmur il-Kanada? Le,** ______________________ .
3. **Inti se ssiefer fis-sajf? Le,** ______________________ .
4. **Dawk il-kuġini tiegħek? Le,** ______________________ .
5. **Ix-xaħam tajjeb għas-saħħa? Le,** ______________________ .
6. **Is-sigaretti tajbin għall-pulmun? Le,** ______________________ .
7. **Dak ħuk fir-ritratt? Le,** ______________________ .
8. **Marija t-tifla ta' Mark? Le,** ______________________ .
9. **Inti Awstraljan? Le,** ______________________ .
10. **Intom Taljani? Le,** ______________________ .

3. Qabbel:

Kif int?	**Le, Rita mhix Taljana.**
Int Rita?	**Le, dawk it-tfal mhumiex aħwa.**
Rita Taljana?	**Le, m'inix miżżewwġa.**
Dawk aħwa?	**Mhux ħażin, grazzi.**
Dan ir-raġel tiegħek?	**Le, jien m'inix Rita.**

4. Ikteb "veru" jew "mhux veru":

1. **Id-dinja tonda.**
2. **Ix-xemx iddur mal-qamar.**
3. **Malta qiegħda fil-Mediterran.**
4. **Kemmuna joqogħdu ħafna nies.**
5. **Malta kisbet l-indipendenza fl-1964.**

5. Ikteb "sewwa" jew "mhux sewwa":

1. **It-tfal imorru l-iskola fi tfulithom.** ________
2. **Neqirdu l-ambjent.** ____________________
3. **Inħarsu l-ambjent.** ____________________
4. **Inżommu r-radju b'volum għoli.** _________
5. **Nixxemmxu għal sigħat sħaħ.** ___________

6. Poġġi fin-negattiv:

1. **Jien għandi dar żgħira.**
2. **Marija xtrat villa l-Iklin.**
3. **Iz-zija marret toqgħod Ħal Balzan.**
4. **Missieru kellu flett San Ġiljan.**
5. **Aħna ngħixu ġo appartament il-Kanada.**

7. Wieġeb u staqsi:

1. **X'se tiekol il-lejla?**
2. **X'se tagħmel għada?**
3. **X'se tagħmel fil-vaganzi?**
4. **X'se jagħmel ir-raġel tiegħek nhar il-Ħadd?**
5. **X'se tagħmel il-mara tiegħek nhar is-Sibt?**
6. **X'se tagħmel il-familja tiegħek fil-festa?**
7. **X'se tieklu fir-restorant?**
8. **Pawlu x'se jixrob x'ħin jiġi?**
9. **Ommok x'se tiekol għada?**

8. Daħħal il-prepożizzjoni ma' l-artiklu fil-vojt:
(fis-, fix-, mill-, ġol-, fuq, taħt, wara)

1. **Il-plejer daħħal il-ballun _____ xibka.**
2. **It-tifel daħħal il-ħobż _____ bagalja.**
3. **Se noħroġ il-fenek _____ kappell.**
4. **Tal-ħanut se jdaħħal iż-żarbun _____ kaxxa.**
5. **Il-qattus qiegħed _____ sufan.**
6. **L-għasfur tar _____ gaġġa.**
7. **Poġġejna r-ritratt tat-tieġ tagħna _____ salott.**
8. **Il-fenek qiegħed _____ nar.**
9. **It-tifel se jistaħba _____ l-purtiera.**
10. **Il-karta qiegħda _____ il-ktieb.**

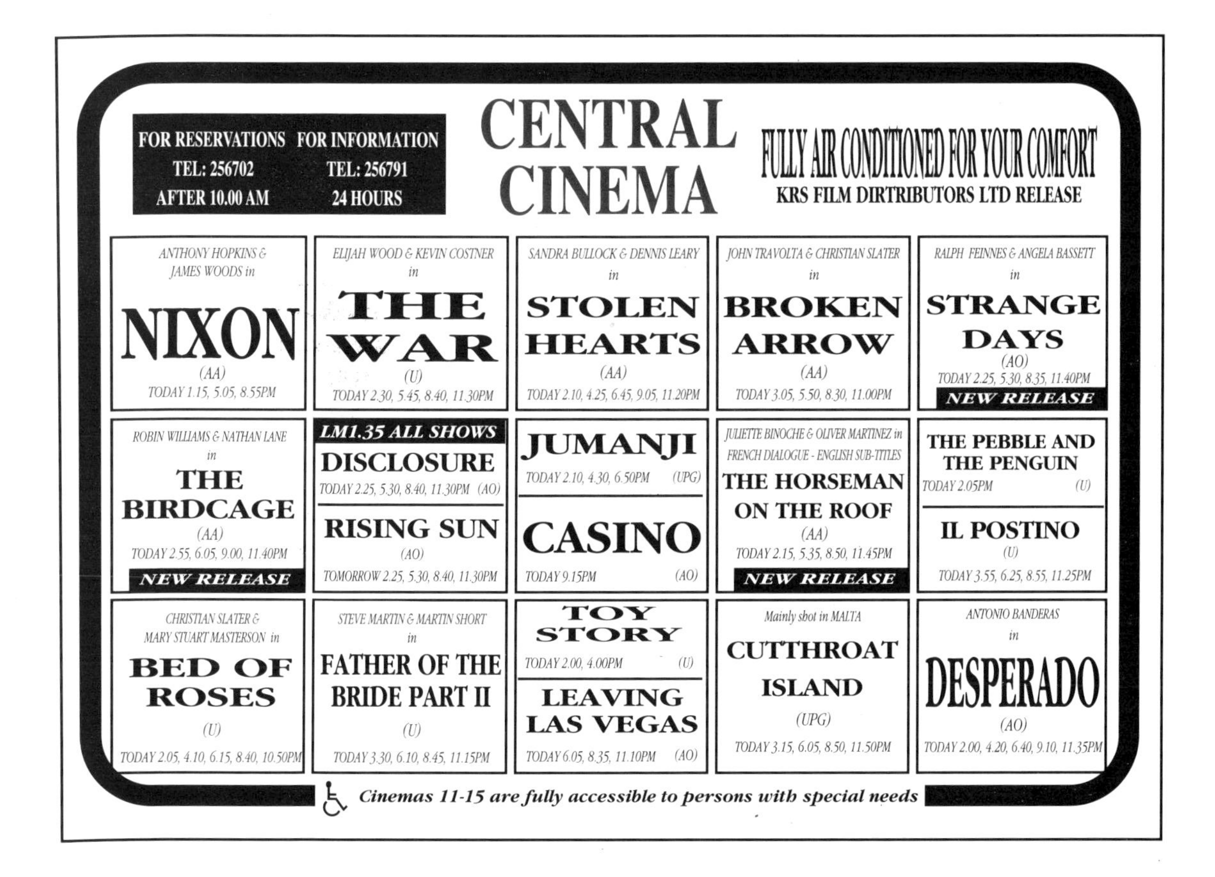

9. Wieġeb:

1. **Fi x'ħin se jintwera l-film "Il Postino"?**
2. **Fi x'ħin se mmorru naraw il-film "Father of the Bride Part I!"?**
3. **Fi x'ħin hemm "Nixon"?**
4. **Liema films jogħġbuk l-iżjed?**
5. **Liema films huma tajbin għat-tfal?**
6. **Liema films huma tajbin għall-kbar biss?**

10. Ikteb storja żgħira b'din l-informazzjoni:

1. **(Jien l-Italja, fis-sajf, bl-ajruplan, Malta 09:00, Ruma 09:50).**
2. **(Il-familja Vella, Sqallija, ġimgħa, bil-katamaran, il-muntanja Etna, Catania, Palermo, ħwejjeġ u ikel).**
3. **(Alfred u Marta, il-Finlandja, fil-Milied, temperatura 10°C, il-Finlandja –15°C).**
4. **(L-Awstralja, n-nannu, tliet xhur, passaport, ajruplan dirett, Melbourne, vaganza sabiħa, Malta – sajf, l-Awstralja – xitwa).**

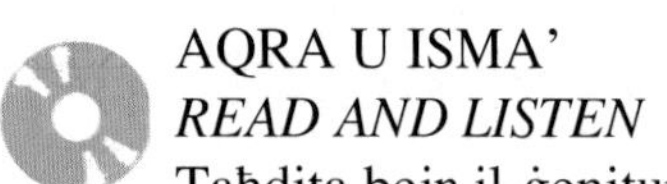

AQRA U ISMA'
READ AND LISTEN
Taħdita bejn il-ġenituri u binhom is-Sibt fil-għaxija.

Leonard:	**Ħiereġ jien ma, ċaw!**
L-omm:	**Ħiereġ fejn fl-għaxra ta' bil-lejl?**
Leonard:	**Sejjer ma' sħabi ma. Għaliex dan l-għaġeb kollu?**
L-omm:	**Se ssaqsini għaliex? Fil-għodu qattajtu ddur bir-rota, wara n-nofsinhar mort tilgħab il-futbol u issa ħiereġ ukoll? U l-istudju meta ħa tagħmlu?**
Leonard:	**U issa ma nistudjax għada. Mela ħa noqgħod il-ħin kollu naqra u nikteb.**
Il-missier:	**Iwa l-ħin kollu taqra u tistudja. Qed narak jien kif qlajt idejk bil-kitba!**
Leonard:	**Allura ma mmurx ma' sħabi nistrieħ?**
Il-missier:	**Le jekk hemm bżonn ma tmurx.**
L-omm:	**Sewwa qed jgħidlek missierek. Trid tibda tagħmel sagrifiċċju, inkella se tibqa' l-art. Imbagħad ta' xejn toqgħod tibki ż-żmien li ħlejt.**
Leonard:	**Għandkom raġun, imma issa diġà ftehimt ma' sħabi u ma nistax nonqoshom.**
Il-missier:	**Affarik, issa għalaqthom it-tmintax, m'għadekx ħalib ommok fi snienek. Aħna wissejniek, issa int trid tkun li taħdem, ħadd iżjed.**

8 FESTI MALTIN

Dan ir-ritratt juri l-purċissjoni bl-inkwadru tal-Madonna ta' Karaffa mill-Kattidral ta' San Ġwann sa Sarria, drawwa li tmur lura mijiet ta' snin.

Matul ix-xhur tas-sajf fl-irħula kollha Maltin tiġi ċċelebrata l-festa tar-raħal. F'xi rħula ssir iktar minn festa waħda. Il-qofol tal-festa jkun jum il-patrun tar-raħal meta ssir il-purċissjoni bil-vara, akkompanjata mill-banda u l-kor. Naturalment ma jonqsux il-murtali. Lejliet il-festa, minbarra l-baned mat-toroq tar-raħal isir il-ġiġġifogu, logħob ieħor tan-nar ikkulurit fl-ajru u briju mill-każini. Fl-irħula l-kbar dan isir ukoll f'lejliet lejlietha u anke matul il-ġimgħa kollha ta' qabel il-festa. Il-knejjes jinxtegħlu sbieħ ikkuluriti b'eluf ta' bozoz żgħar u kbar.

Minbarra l-festi brijjużi fit-toroq u l-pjazez, ma tonqosx id-devozzjoni ġol-knejjes. Isir programm sħiħ ta' talb u ċelebrazzjonijiet speċjali u quddies bil-korijiet u l-orkestri.

Il-festa tal-Madonna ta' Karaffa ilha ssir minn żmien il-Kavallieri. Issir purċissjoni bl-inkwadru prezzjuż tagħha mill-Belt sal-kappella ta' Sarria, il-Furjana. L-inkwadru jkun akkumpanjat mis-seminaristi.

Il-festi nazzjonali u jiem ta' vaganza f'Malta huma:

L-ewwel tas-sena	
L-għaxra ta' Frar	Festa ta' San Pawl Nawfragu, Padrun ta' Malta
Id-dsatax ta' Marzu	Festa ta' San Ġużepp
Il-wieħed u tletin ta' Marzu	Jum il-Ħelsien mill-Qawwiet Ingliżi
Il-Ġimgħa l-Kbira	
L-Għid il-Kbir	
L-ewwel ta' Mejju	Jum il-Ħaddiema (Festa ta' San Ġużepp Ħaddiem)
Is-sebgħa ta' Ġunju	Is-Sette Ġiugno 1919
Id-disgħa u għoxrin ta' Ġunju	L-Imnarja, Festa ta' San Pietru u San Pawl
Il-ħmistax t'Awissu	Santa Marija
It-tmienja ta' Settembru	Il-Vitorja
Il-wieħed u għoxrin ta' Settembru	Jum l-Indipendenza 1964
It-tlettax ta' Diċembru	Jum ir-Repubblika 1974
Il-ħamsa u għoxrin ta' Diċembru	Il-Milied

Il-festa

Meta l-Maltin jitkellmu dwar "il-festa" jkunu qed jirreferu għall-festa tal-padrun tar-raħal. Kull knisja parrokkjali tiċċelebra l-festa tal-padrun jew padruna tal-parroċċa tagħha. Dawn huma festi reliġjużi b'ħafna attivitajiet fil-knisja, iżda b'mod spettakolari barra l-knisja wkoll. Ikun hemm baned idoqqu mat-toroq, puċissjonijiet, logħob tan-nar ta' kull xorta u ta' kull kulur. It-toroq u d-djar ikunu mżejna u mdawla. Bejn Mejju u Ottubru ta' kull sena jkun hemm 'il fuq minn tletin festa.

It-8 ta' Settembru

Dan il-jum huwa magħruf bħala "Jum il-Vitorja" jiġifieri "Jum ir-Rebħa" li għamlu l-Maltin u l-Kavallieri kontra l-qawwa Torka fit-8 ta' Settembru ta' l-1565. L-iktar avveniment attraenti dak in-nhar hija tiġrija tad-dgħajjes, magħrufa bħala "Ir-Regatta" li ssir fil-Port il-Kbir.

Il-Karnival

Festa nazzjonali li hi popolari ħafna maż-żgħażagħ u t-tfal huwa l-Karnival. Il-Karnival iżomm l-appuntament tiegħu kull sena ftit qabel ir-Randan u jkun x'ikun it-temp jiġbed warajh l-eluf. Fl-antik il-karnival kien jiġi ċċelebrat bid-daqq u ż-żfin bil-kostumi fil-pjazez u l-ħwienet tax-xorb, kif ukoll bl-armar ta' xi karozzini u l-maskerati. Illum il-karnival jiġi ppreparat minn ħafna xhur qabel. Kulħadd ikun qed jistenna lir-Re tal-Karnival!

Isiru bosta kompetizzjonijiet għall-isbaħ kostum, għall-aħjar mużika u għall-aqwa karru u l-festi jtulu mill-inqas ġimgħa, jekk mhux aktar.

Il-Ġimgħa l-Kbira

Fi żmien il-Ġimgħa l-Kbira f'Malta u Għawdex ikun hemm ħafna attività artistika. Minbarra l-purċissjonijiet li joħorġu jduru f'diversi parroċċi, isiru diversi wirjiet ta' statwetti, ta' mudelli u tal-mejda ta' l-appostli. Fuq il-mezzi tax-xandir jintwerew u jinstemgħu wkoll għadd ta' programmi b'tema reliġjuża konnessi mal-festa tal-Ġimgħa Mqaddsa.

PRONUNZJA

Il-konsonanti doppja.
Meta nirduppjaw il-konsonanti tan-nofs tal-verb nibdlu t-tifsira

kiser	**kisser**
qabel	**qabbel**
fetaħ	**fettaħ**
qata'	**qatta'**
tefa'	**teffa'**
għalaq	**għallaq**
niżel	**niżżel**
tela'	**tella'**

Pawlu kiser idu.
Pawlu kisser il-karozza.

Pietru qabel mar-riżoluzzjoni.
Pietru qabbel il-karti.

Pawlu kiser idu
Pawlu kisser il-karozza

Il-plejer fetaħ l-iskor.
Il-plejer fettaħ saqajh.

Il-bidwi qata' frotta.
Il-bidwi qatta' l-karti tal-kontijiet.

Ħija tefa' d-dawl.
Ħija teffa' lil oħti u waqgħet.

Il-pulizija għalaq l-għassa.
Il-bojja għallaq lill-qattiel.

Mario niżel it-tarġ.
Mario niżżel il-barmil fil-bir.

Kevin tela' s-sellum.
Kevin tella' ħuta mill-vaska.

ORTOGRAFIJA

L-ittra "s" fil-kliem "ħames" u "ħamsa" sservi ta' gwida għall-kitba ta' l-"għ" fin-numri 4, 7 u 9.
The letter "s" in the words "ħames" and "ħamsa" serves as a model for placing the letter "għ" in numbers 4, 7 and 9.

ħames	**ħames ħobżiet**
erba'	**erba' ħobżiet**
seba'	**seba' ħobżiet**
disa'	**disa' ħobżiet**
ħamsa	**saru l-ħamsa**
erbgħa	**saru l-erbgħa**
sebgħa	**daqqu s-sebgħa**
disgħa	**daqqu d-disgħa**

---

ma'	**ma**
ta'	**ta**

Niktbu **ma'** bl-apostrofu meta rridu nfissru "flimkien ma' xi ħadd jew ma' xi ħaġa".
***Ma'** is the preposition "with".*

Mort ma' ommi.
Ħareġ ma' missieru.
Xorbu l-inbid ma' l-ikel.

Niktbu **ma** meta tfisser "omm"
Ma refers to "mother"

Ma, inħobbok.
"Ma, Ma", għajjat it-tifel.

u meta tintuża bħala l-partiċella fin-negattiv.
and is also used as a negative marker.

Rita ma marritx skola.
It-tfal ma xorbux birra.

Niktbu **ta'** meta tfisser li xi ħaġa tappartjeni lil xi ħadd ieħor (għandha l-funzjoni ta' prepożizzjoni).
Ta' functions as the preposition of "of".

Dan il-ktieb ta' Betty.
Dik il-ġakketta ta' ħija.
Fis-7 ta' Marzu.

Niktbu **ta** meta rridu nfissru l-verb fil-passat.
Ta is the third person masculine singular of the verb "to give" in the past tense.

Is-surmast ta kiteb lir-rebbieħ.
Pawlu ta ċurkett lill-għarusa tiegħu.

GRAMMATIKA

Il-pronomi mehmużin

il-pronomi	jitqassru u jeħlu bħala suffiss			
jiena	ni	i	ja	
inti		k	ek	ok
huwa		u	h	(hu)
hija		ha	hie	(hi)
aħna		na	nie	
intom		kom		
huma		hom		

ma' verbi

rani	**sabni**
rak	**sabek**
rah	**sabu**
raha	**sabha**
rana	**sabna**
rakom	**sabkom**
rahom	**sabhom**

ma' nomi

rasi	**ommi**	**xortija**
rasek	**ommok**	**xortik**
rasu	**ommu**	**xortih**
rasha	**ommha**	**xortiha**
rasna	**ommna**	**xortina**
raskom	**ommkom**	**xortikom**
rashom	**ommhom**	**xortihom**

Dawn is-sentenzi huma kollha tajbin!
The following sentences are all correct!

It-tifel kiel il-laħam li kien hemm fil-platt.
Il-qattus qatel il-ġurdien il-kbir.
Il-kelb mexmex l-għadma.
It-tabib mar l-isptar.
Il-mejda kbira.
Nżżilhielha.
Ferħulha.
Fetħilna.
Irqadna.

Henry u Rita taw iċ-ċurkett

EŻERĊIZZJI

1. Segwi l-programm tal-karnival u agħżel is-serati li se tmur għalihom. Ikteb fil-qosor x'taħseb li se tara f'kull serata.

Il-Programm tal-Karnival

Dan hu l-programm sħiħ ta' attivitajiet li ġie mħejji mill-Kummissjoni Karnival fi ħdan il-Kumitat Festi Nazzjonali għall-edizzjoni ta' din is-sena tal-Karnival.

Mill-Erbgħa 14 sat-Tlieta 20 ta' Frar	Esibizzjoni ta' l-arti dwar il-Karnival imtellgħa mit-tfal fis-sala Robert Samut fil-Furjana.
Il-Ġimgħa 16 ta' Frar bejn is-6.00 u 8.00 p.m.	Kompetizzjoni taz-zfin fl-Enclosure ta' Pjazza Helsien, il-Belt.
Is-Sibt 17 ta' Frar bejn id-9.15 u l-11.30 a.m.	Karnival tat-tfal fl-Enclosure ta' Pjazza Helsien, il-Belt.
Is-Sibt 17 ta' Frar bejn is-2.00 u s-6.00 p.m.	Kompetizzjoni taż-żfin u sfilata fil-Belt u fl-Enclosure ta' Pjazza Helsien, il-Belt.
Il-Ħadd 18 ta' Frar bejn is-2.00 u 6.00 p.m.	Kompetizzjoni taż-żfin u sfilata fil-Belt u fl-Enclosure ta' Pjazza Helsien, il-Belt.
Il-Ħadd 18 ta' Frar bejn is-2.00 u 6.00 p.m.	Sfilata ta' karrijiet, karozzini eċċ. fil-Furjana u l-Belt.
It-Tnejn 19 ta' Frar bejn is-6.00 u t-8.00 p.m.	Kompetizzjoni taż-żfin fl-Enclosure ta' Pjazza Helsien, il-Belt.
It-Tlieta 20 ta' Frar bejn l-4.00 u s-6.15 p.m.	Kompetizzjoni tradizzjonali tal-Kukkanja fl-Enclosure ta' Pjazza Helsien, il-Belt.
It-Tlieta 20 ta' Frar bejn is-6.00 u t-8.00 p.m.	Sfilata ta' karrijiet, karozzini eċċ. fi Triq Sant'Anna l-Furjana.

2. Ħares lejn il-lista. Liema wirja kieku tagħżel li tara? Għaliex?

3. Daħħal "ma" jew "ma' "

1. **"Irrid immur ______ oħti", werżaq it-tifel.**
2. **" ______ , għandi l-ġuħ", qalet it-tifla.**
3. **Rita marret ______ Doris il-belt.**
4. **______ mortx għax ______ kellix aptit.**
5. **L-abjad jaqbel ______ kollox.**
6. **It-tfal qed jilagħbu ______ Pawlu.**

4. Daħħal "ta" jew "ta' "

1. **It-2 Lulju.**
2. **Alfred r-ritratti lil Marita.**
3. **Dawn l-affarijiet Charles.**
4. **Il-President l-medalji lir-rebbieħa.**
5. **L-għalliem l-pitazzi lit-tfal fl-aħħar ta' l-iskola.**
6. **Din id-dgħajsa dawk l-Għawdxin.**

5. Waħħal il-pronom mal-verb biex tifforma sentenza.

1. **(ra, lili) fil-festa tar-raħal.**
2. **(sab, lilek) id-dar filgħaxija.**
3. **(ħarġet, lilna) ħarġa ta' ġurnata.**
4. **(tajna, lilkom) rigal sabiħ.**
5. **(xtraw, lilha) par imsielet.**
6. **(tat, lilha) ktieb ġdid.**
7. **(sabu, lilkom) lesti.**
8. **(ħareġ, lilhom) dawra bil-karozza.**
9. **(rajt, lilek) il-bieraħ.**
10. **(tat, lilna) nieklu.**

6. Waħħal il-pronom man-nom biex tifforma sentenza.

1. **Għandek (xorti, tiegħek) tajba.**
2. **Għandu (omm, tiegħu) mejta.**
3. **Għandhom (ras, tagħhom) iebsa.**
4. **Għandha (id, tagħha) miksura.**
5. **Għandi (sieq, tiegħi) fil-ġibs.**
6. **Kelli (missier, tiegħi) mill-aħjar.**
7. **Kellu (xorti, tiegħu) ħażina.**
8. **Kellhom (ulied, tagħhom) twal.**
9. **Kellna (xogħol, tagħna) iebes.**
10. **Kellek (għajnejn, tiegħek) magħluqa.**

7. Ikteb kliem flok numri.

1. **(4)** **ħutiet.**
2. **(7)** **bibien.**
3. **(9)** **qsari.**
4. **Il-qattusa kellha (4)** **friegħ.**
5. **Is-seftura xtrat (7)** **bi żball.**
6. **Irċevejt (9)** **bil-posta.**

AQRA U ISMA'
READ AND LISTEN

Għand it-tabiba

Tabiba:	**Għaddi sinjura. Kif inti?**
Sinjura:	**Ħa ngħidlek dott. Għandi wġigħ ta' ras ma jieqaf b'xejn.**
Tabiba:	**Ħa nara. Poġġi bilqiegħda l-ewwel. Kemm ilek tħossu dan l-uġigħ?**
Sinjura:	**Ilni xi ġimgħa bejn wieħed u ieħor.**
Tabiba:	**Hm. Il-pressjoni tajba. Deni m'għandekx. Itla' hawnhekk. Imtedd ħa ninvistak. Hm. Il-pulmun u l-qalb tajbin. Tista' tqum.**
Sinjura:	**Allura x'taħseb tabiba? Tista' tiktibli xi pilloli.**
Tabiba:	**Inti kellek xi riħ dan l-aħħar?**
Sinjura:	**Il-ġimgħa l-oħra kont qed nagħtas u nisgħol. Meta għaddieli r-riħ ġie l-uġigħ ta' ras.**
Tabiba:	**Jista' jkun li kont ftit fjakka. Qiegħda tiekol bħas-soltu?**
Sinjura:	**Naqqast ftit minħabba d-dieta!**
Tabiba:	**Imma importanti li tieħu s-sustanzi u l-vitamini kollha neċessarji. Importanti li tiekol ħafna frott u ħaxix u ftit minn kollox, anke laħam u ħobż. Għalissa mhux ħa niktiblek pilloli. Kul tajjeb u erġa' ejja arani erbat ijiem oħra!**

9 *FTAĦTLI L-APTIT!*

Tħobbu l-ikel Malti?

ħobż tal-Malti

ħobż tas-salib

ftajjar

ftajjar mimlija

panini u bziezen

bziezen mill-kbar

ħobż tas-slajs

ħobż nej

biskuttini

Il-Furnar Malti
Il-ħobż tal-Malti huwa tajjeb ħafna. Jiftaħlek l-aptit, l-iktar jekk tieklu biż-żejt u t-tadam. Tista' tixtri ħobż żgħir jew ħobż kbir. Il-furnar jagħmel ukoll ħobż tal-kexxun. Insibu nixtru ikel Malti ieħor bħal ftajjar, qagħaq u biskuttini.

Il-ftajjar huma ħobż ċatt. Tajbin ħafna bil-kunserva, bil-ġardiniera, biż-żebbuġ u bil-kappar.

Il-qagħaq u l-biskuttini tar-raħal tajbin mat-tè. Il-qagħaq tista' ddellikom bil-butir. Il-biskuttini tista' xxarrabhom fit-tè.

Kul aktar "fibre" għax
- *dan ixebbek mingħajr ma tkun kilt iżżejjed*
- *jgħinek tipporga sew u jiskansak minn mard ieħor ta' l-imsaren*

billi
- *tieħu aktar tiżelli, fażola, ful, ċiċri u għazz*
- *tiekol ħobż u għaġin magħmulin minn dqiq ismar*
- *tiekol ross ismar*
- *tiekol aktar ħaxix u frott frisk*

X'tiekol?
filgħodu malli tqum
fl-għaxra ta' filghodu
f'nofs in-nhar
fil-ħin tat-tè
filgħaxija

fis-sajf
fix-xitwa

ħaxix għall-bejgħ

PRONUNZJA

Isma' d-differenza fit-tul ta' l-ewwel vokali u nnota d-differenza fit-tifsira:

niżel	**nieżel**
bired	**biered**
wiżen	**wieżen**

Il-bajjad niżel is-sellum.
Jien rajtu nieżel qabel ma waqa'.

It-tè bired għax ilu lest siegħa.
It-tè biered mhux tajjeb.

Tal-ħanut wiżen kollox f'salt.
Ir-raġel wieżen lix-xiħ hu u jaqsam it-triq.

ORTOGRAFIJA

L-aċċenti f'tarf il-kelma.
Fil-Malti hemm aċċent wieħed "`" li jinkiteb fit-tarf ta' kliem li jispiċċa b'vokali aċċentata:

università, karità, onestà, superjorità, kafè, maestà, maternità, integrità.

GRAMMATIKA

Dawn li ġejjin huma eżempji ta' kmand li ssibhom ħafna fir-riċetti:
The following are examples of commands commonly found in recipes:

agħmel	**agħmlu**
qatta'	**qattgħu**
qaxxar	**qaxxru**
aqli	**aqlu**
sajjar	**sajru**
żid	**żidu**
kompli	**komplu**
naddaf	**naddfu**
neħħi	**neħħu**
ixwi	**ixwu**
qattar	**qattru**
ferrex	**ferrxu**
servi	**servu**

Il-kostruzzjoni b' "qed" ma' l-imperfett
Meta npoġġu "qed" quddiem il-verb fl-imperfett nagħtuh it-tifsira li xi ħaġa qed tiġri f'dawn iż-żminijiet, jew bħalissa.

When we use "qed" in front of the verb in the imperfect, we mean something is happening at the moment of speech, or these days.

Pawlu qed joħroġ kull filgħaxija.
Marija qed issajjar xi ħaġa ġdida kuljum.
Jien qed niekol ħafna ħobż.
Michael qed jaħdem wisq!
Toni qed jiġri warajna biex inlestu.
It-tfal qed jaraw ħafna vjolenza fuq it-televixin.

Bħalissa . . .	**Kull ġimgħa . . .**
Jien qed noħroġ kuljum	**jien qed nikteb ittra**
inti qed toħroġ kuljum	**inti qed tikteb ittra**
hu qed joħroġ kuljum	**hu qed jikteb ittra**
hi qed toħroġ kuljum	**hi qed tikteb ittra**
aħna qed noħorġu kuljum	**aħna qed niktbu ittra**
intom qed toħorġu kuljum	**intom qed tiktbu ittra**
huma qed joħorġu kuljum	**huma qed jiktbu ittra**

Jien qiegħed/qiegħda noħroġ kuljum.
Inti qiegħed/qiegħda toħroġ kuljum.
Hu qiegħed joħroġ kuljum.
Hi qiegħda toħroġ kuljum.
Aħna qegħdin noħorġu kuljum.
Intom qegħdin toħorġu kuljum.
Huma qegħdin joħorġu kuljum.

Bħalissa ma nistax niġi għax qiegħda nikteb ittra.
Daż-żmien kulħadd qiegħed imur jgħum.
Pawlu qiegħed jittrenja l-grawnd.
Intom qegħdin issiefru spiss.
Il-ħwejjeġ qegħdin jinxfu fuq il-bejt.
Inti qiegħda tistudja biżżejjed għall-eżami?

Bħalissa ma nistax niġi għax qed nikteb ittra.

Fil-kċina hemm:

borma	**borom**	**borma minestra**
dixx	**dixxijiet**	**dixx imqarrun**
taġen	**taġnijiet/twaġen**	**taġen bil-laħam moqli**
platt	**platti**	**platt minestra**
tazza	**tazzi**	**tazza nbid**
kikkra	**kikkri**	**kikkra kafè**
plattina	**plattini**	**plattini taċ-ċaqquf**
furketta	**frieket**	**frieket tal-fidda**
sikkina	**skieken**	**skieken jaqtgħu**
mus	**imwies**	**imwies t' Għawdex**
mgħarfa	**imgħaref**	**mgħarfa ta' l-għuda**
kuċċarina	**kuċċarini**	**kuċċarini tad-deżerta**
flixkun	**fliexken**	**fliexken tal-luminata**
sarvetta	**srievet**	**srievet tal-karti**
tvalja	**tvalji**	**tvalji ta' l-għażel**
suffarina	**suffarini**	**kaxxa suffarini**
xugaman	**xugamani**	**xugamani ta' l-idejn**
sapuna	**sapun**	**sapun ifuħ**

Kif se tipprepara l-mejda ta' l-ikel?

L-ewwel tifrex it-tvalja. Imbagħad tpoġġi l-platti ċ-ċatti u l-fondi fuqhom. Tpoġġi l-furketta fuq ix-xellug ta' kull platt u s-sikkina fuq il-lemin, bl-imgħarfa ħdejha. Quddiem il-platt inqiegħdu kuċċarina u t-tazzi ta' l-inbid. Inqassmu wkoll sarvetta għal kull ras u fin-nofs tal-mejda nħallu l-wisa' għall-ikel meta jkun lest.

Il-Menu

L-ewwel platt:	soppa, brodu, minestra, lażanja, spagetti eċċ.
It-tieni platt:	ċerna, lampuki, papra, majjal, ċanga, ħaruf eċċ.
Id-deżerta:	ġelat, kejk, pasta, frott eċċ.
Xorb:	inbid, luminata, ilma, birra eċċ.

Xi ikel li jieklu l-Maltin

stuffat tal-fenek
stuffat tal-qarnit
qassata tal-qara' aħmar
qarabagħli mimli
ross il-forn
tiġieġa l-forn
torta tal-lampuki
minestra
soppa ta' l-armla
għaġin il-forn
laħam u patata l-forn
qaqoċċ mimli

qagħaq tal-ħmira
qagħaq ħelwin
kannoli ta' l-irkotta
prinjolata (tal-karnival)
il-figolli (ta' l-Għid)
imqaret tat-tamal
pudina tal-ħobż
ħelwa tat-Tork

Eżempji ta' riċetti Maltin.

Qagħaq ta' l-Għasel

Għall-għaġina jkollok bżonn:
400g dqiq
100g smid
170g marġerina
100g zokkor

Metodu:
Ħallat id-dqiq u s-smid. Żid il-marġerina u ħawwad sewwa bil-ponot ta' subgħajk. żid iz-zokkor u l-ilma biex tagħmel l-għaġina. Aħdimha sewwa biex ikollok għaġina lixxa u ratba.

Għall-mili jkollok bżonn:
400g għasel iswed
400g zokkor
2 imgħaref taċ-ċikkulata
qoxra maħkuka tal-laringa u tal-lumija
4 imsiemer tal-qronfol
2 kuċċarini anizett
nofs kuċċarina spice imħallat
litru ilma

Metodu:
ħallat l-ingredjenti kollha ġo kazzola, minbarra s-smid. Qiegħed fuq in-nar u ħallih jiftaħ jagħli. Bil-mod il-mod żid is-smid, waqt li tħawwad il-ħin kollu. Ħallih itektek fuq nar bati, sakemm it-taħlita ssir magħquda. Neħħi minn fuq in-nar u ħallih jibred. Lenbeb l-għaġina u qattagħha strixxi twal. Fin-nofs ta' kull strixxa agħmel ftit mit-taħlita u gerbeb l-għaġina biex tifforma romblu. Dawwar kull romblu f'ċirku. Fil-wiċċ agħmel xquq b'xi sikkina. Qiegħed il-qagħaq fil-forn, u aħmihom f'forn jaħraq sakemm l-għaġina tieħu lewn kannella.

Il-Figolli

Ikollok bżonn:
350g dqiq plain
175g marġerina
90g zokkor
2 isfra tal-bajd
ftit ilma

Għall-mili:
175g lewż mitħun
175g zokkor
qoxra ta' lumija maħkuka
abjad ta' bajda

Kif tagħmilha:
Għarbel id-dqiq fi skutella u rembel il-marġerina miegħu sakemm iġġib id-dqiq qisu frak tal-ħobż. Itfa'' u ħawwad l-ewwel zokkor li hemm fir-riċetta. żid l-isfra tal-bajd u agħġen kollox flimkien. Jekk ikun hemm bżonn biex l-għaġina ma tiġikx iebsa żid kemmxejn ilma. Sakemm tħalli l-għaġina toqgħod għal xi siegħa, ibda ħejji l-mili.

Ixgħel il-forn fuq Gas 4. Itfa' fi sjuna l-lewż mitħun u z-zokkor. żid il-qoxra maħkuka ta' lumija u ħawwad kollox flimkien. żid l-abjad tal-bajd ftit ftit u għaqqad l-ingredjenti. It-taħlita tal-mili trid tkun magħquda biżżejjed biex waqt li l-figolla tkun qed tinħema, il-mili ma joħroġx barra. Iftaħ l-għaġina, ma tridx iġġibha rqiqa. Aqta' żewġ forom bħal xulxin. Poġġi forma minnhom fuq pjanċa tal-forn, li m'hemmx għalfejn tidlikha bil-butir. Poġġi l-mili fuq l-għaġina, xarrab it-tarf tal-forma bl-ilma biex meta tpoġġi l-forma l-oħra fuq il-mili, il-mili jjiqa' ġewwa. Agħfas il-ġnub tajjeb ma' xulxin.
Aħmi f'forn moderat, Gas 4 għal madwar 25 minuta. Meta tibred, iksi bl-icing u żejjinha kif trid. Poġġilha bajda taċ-ċikkulata fuq żaqqha.

Fenek Stuffat
Ingredjenti:
fenek (maqtugħ biċċiet)
2 basliet
2 tadamiet
4 werqat rand
tazza nbid aħmar
2 patatiet

Metodu
Aqli l-fenek ħafif ġo ftit xaħam jew żejt. ġo kazzola aqli l-basal mqatta' u żid it-tadam u l-weraq tar-rand. Itfa' l-fenek u żid żewġ tazzi ilma. ħallih itektek għal 15-il minuta. żid l-inbid u l-patata mqatta' u ħalli l-fenek isir fuq nar bati għal xi siegħa.

Stuffat tal-klamari
Ingredjenti:
2 klamari kbar
kikkra frak tal-ħobż
kuċċarina tursin imqatta'
2 bajdiet iebsin
bajda mħabbta
3 jew 4 inċoviet
2 basliet imqatta' fin
bott piżelli kbir
300g tadam

Metodu
Naddaf il-klamari tajjeb. Qiegħed il-frak tal-ħobż, it-tursin, l-inċoca mqatta', il-bajd iebes imqatta', fi skutella. żid bżar u melħ għat-togħma u ħallat kollox bil-bajda mħabbta. Imla l-klamari b'din it-taħlita u ħit in-naħa ta' fuq tal-klamari biex il-mili ma joħroġx waqt it-tisjir.
Aqli l-basla ħafif fiż-żejt. żid it-tadam mqaxxar u mqatta', u ħallih itektek sakemm ikun kważi sar. Żid żewġ pinet misħun u meta jiftaħ jagħli itfa' l-klamari u ħalli kollox itektek fuq nar bati.
Meta jkun kważi sar, itfa' l-piżelli, bżar u melħ għat-togħma. Ħalli kollox iteketek għal xi għaxar minuti oħra. ^z-zalza tal-klamari tista' tużaha ma' l-ispagetti bħala l-ewwel platt.

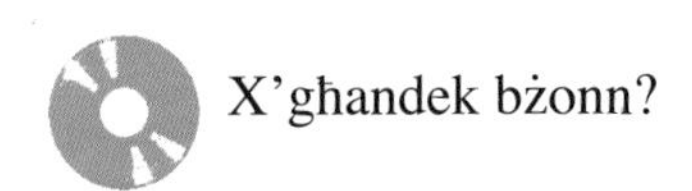

X'għandek bżonn?

Għand ħanut tal-growser/supermarkit.

Bejjiegħ: **X' għandek bżonn?**
Xerrejja: **Nofs kilo ġobon tal-qoxra ħamra, jekk jogħġbok.**
Bejjiegħ: **X'iżjed?**
Xerrejja: **Kwart perżut.**
Bejjiegħ: **X'iżjed?**
Xerrejja: **Tużżana bajd.**
Bejjiegħ: **Xi ħaġa oħra?**
Xerrejja: **Għandek ġbejniet illum?**
Bejjiegħ: **Iva, għandna friski, moxxi, nexfin u tal-bżar.**
Xerrejja: **Lanqas naf, imbagħad nara. Kemm jekk jogħġbok?**
Bejjiegħ: **Lira u ħmistax-il ċenteżmu.**
Xerrejja: **Mela l-ġobon kemm jiswa?**
Bejjiegħ: **Tnejn u sittin ċenteżmu l-kilo.**
Xerrejja: **Grazzi.**
Bejjiegħ: **Hawn ara għandek l-irċevuta u l-bqija. Grazzi.**

Mingħand tal-ħaxix nixtri:

basal, tadam, ħawħ, frawli, għeneb, dulliegħ, bettieħ, lanġas, tuffieħ, larinġ, mandolin

Mis-supermarkit nixtri:

kilo banana
wiżna/xkora patata
kartuna ħalib
nofs kilo larinġ
kwart ta' kilo perżut
nofs kilo ġobon tal-qoxra ħamra
xkora zokkor
borża ħelu
tużżana bajd
kannestru tuffieħ
flixkun inbid
żewġ fliexken ilma

Kemm hu tajjeb
il-hobz biz-zejt!

Issa agħmel il-lista tax-xirja tiegħek:
Immaġina li qiegħed ma' sħabek f'restorant. Aqra l-menu u iddiskuti x'sa tordna.

EŻERĊIZZJI

1. Poġġi fil-femminil.

1. **Il-ħabib *stqarr* kollox.**
2. **Iż-żagħżugħ *ħmar* bir-rabja.**
3. **Sieħbi *staħba* wara siġra.**
4. **Il-marid *straħ*.**
5. **Il-ġar *blieh*.**
6. **In-nannu *stenbaħ* kmieni.**
7. **It-tifel *bjad* daqs is-silġ.**
8. **Zijuh xjieħ f'daqqa.**

2. Sib il-kumplament tal-grupp ta' kull wieħed minn dawn il-verbi u daħħalhom f'sentenzi.
eż. Pawlu *semma'* leħnu waqt il-laqgħa. (sema', ssemma', nstema').

1. **Doris u Rita jħobbu joqogħdu *jitkellmu* man-nanna.**
2. **Il-ħalliel *inħeba* wara l-ħajt.**
3. **L-għarusa *libset* kmieni ħafna għat-tieġ.**
4. **Ta' min *joqgħod* attent għad-diskors tal-president.**
5. **Il-lejla *nerġgħu* niltaqgħu.**
6. **Hemm bżonn nibdew *naħdmu* bis-serjetà.**

7. **Ilkoll *qbilna* dwar il-pjanta.**
8. **Xi ħadd kien qed *jissemma'* minn wara l-bieb.**
9. **L-għada filgħodu reġgħu *ltaqgħu* biex ikomplu jiddiskutu.**
10. **Xi ħadd *fetaħ* u *daħal* bil-moħbi.**

3. Daħħal il-verb fil-vojt:
(idoqqu, jilagħbu, nikteb, tiżreġ, isiefru)

1. **Illum qed ktieb.**
2. **Bħalissa qed fil-ġnien.**
3. **Il-qniepen qed tal-festa.**
4. **Ix-xemx qed ħafna.**
5. **Kull sena qed bil-vapur.**

4. Daħħal qiegħed, qiegħda, qegħdin.

1. **Il-kuġini tiegħi l-Awstralja.**
2. **Il-mara tat-tabib tagħmel ħafna eżerċizzji.**
3. **In-nannu imut.**
4. **Ir-referee mhux ikun newtrali.**
5. **Christine tkanta kull nhar ta' Ħadd.**
6. **Il-ħbieb tiegħi 'il bogħod minn Malta.**

5. Ifforma sentenzi bl-użu ta' "qed, qiegħed, qiegħdin, qiegħda" u verb.

1. **(il-ħbieb, l-Amerka).**
2. **(il-ħwejjeġ, jinxfu, il-bejt).**
3. **(in-nannu, l-Amerka).**
4. **(ommi, tgħaddi l-ħwejjeġ).**
5. **(il-kotba, jinkitbu, bħalissa).**
6. **(iz-zija, tħit).**
7. **(ir-radju, jinstema' ħażin).**
8. **(il-ħbieb, vaganza).**
9. **(il-gazzetta, tinxtara).**
10. **(il-ktieb, l-ixkaffa).**

6. Agħmel lista tax-xirja li se tixtri mingħand:

(i) **il-ħanut tal-merċa.**
(ii) **il-bejjiegħ tal-ħaxix.**
(iii) **il-ħanut tal-ħwejjeġ.**
(iv) **il-ħanut li jbigħ l-affarijiet tad-dar.**
(v) **minn fuq il-monti.**

7. Aqra l-istorja li ġejja u wieġeb dawn il-mistoqsijiet.

1. **Xi tbigħ Carmen?**
2. **X'fihom speċjali l-borom li għandna għall-bejgħ?**
3. **Għaliex il-Malti jgħid "l-irħis għali"?**
4. **Min is-soltu jixtri minn dawn il-borom?**
5. **Għaliex taħseb li jixtruhom?**
6. **Marika se tixtrihom?**

AQRA U ISMA'
READ AND LISTEN

Bejgħ bieb bieb

Ihabbat il-bieb. Nicole tmur tiftah u ssib mara li ma tafhiex ma' wiċċha.

Marika: **X'għandek bżonn?**

Carmen: **Sinjura, qed inbigħ prodott għall-kċina. Forsi jinteressak!**

Marika: **Xi prodott hu?**

Carmen: **Ara aħna qed inbigħu minn dawn il-borom illi llum il-ġurnata kulħadd sar jaħlef bihom. Tista' ssajjar fihom mingħajr ilma u għalhekk l-ikel jiġi itjeb u aħjar għas-saħħa.**

Marika: **U kemm huma?**

Carmen: **Hemm diversi prezzijiet skond liema sett ta' borom tixtri. Sinjura nista' niggarantilek li ta' li tonfoq tieħu. Ma jiddispjaċikx żgur. Kif ngħidu bil-Malti, l-irħis għali. Aħjar tonfoq xi ħaġa iżjed u jkollok prodott li tgawdih għal għomrok milli tixtri xi ħaġa bl-irħis u tarmiha wara sena.**

Marika: **Imma kemm iqumu dawn il-borom?**

Carmen: **Tista' tixtri tliet daqsijiet. Hemm tliet settijiet. Wieħed ikbar mill-ieħor skond id-daqs tas-sett li trid. Inti għandek tfal?**

Marika: **Le, jien għadni xebba u mhux se niżżewweġ għal issa. Għalhekk m'għandix interess fil-borom.**

Carmen: **Mela ħa nħallilek in-numru tat-telefon tiegħi u jekk titħajjar ċempilli.**

---

10 IL-BELT VALLETTA

Kienu ilhom jistennew li jasal it-2 ta' Lulju! Dak in-nhar qamu fl-erbgħa ta' filgħodu. Kellhom kollox lest. Il-bagalji kienu ilhom jippakkjaw fihom xahar sħiħ. U l-vaganza li kienu ilhom jistennew fl-aħħar waslet. Fl-aħħar kienu sejrin Malta!

Peter kien ġie Malta sentejn qabel iżda għal Pauline din kienet l-ewwel darba. L-ewwel darba li kienet se tirkeb l-ajruplan. L-ewwel darba li se ssiefer ma' Peter. U l-ewwel darba li se tara l-baħar . . .

Waslu Malta wara nofs in-nhar u qatgħuha li l-ewwel ħaġa li kellhom jagħmlu kienet li jmorru sal-belt Valletta. Bdew iż-żjara tagħhom min-naħa tal-Berġa ta' Kastilja. Din hi waħda mill-ifjen Bereġ f'Malta u miżmuma tajjeb ħafna. Fiha jinsab l-uffiċċju tal-Prim Ministru tar-Repubblika ta' Malta.

Imbagħad imxew lejn il-ġawhra tal-Belt, il-kon-Kattidral ta' San Ġwann. Malli rifsu mill-għatba 'l ġewwa qatgħu nifishom bil-ġmiel nobbli maħluq fi żminijiet ta' rebħ kontra l-Imperu Tork fl-Assedju l-Kbir ta' l-1565. Opra prezzjuża oħra li raw fil-Kattidral ta' San Ġwann hija l-pittura famuża tal-Caravaggio: il-Qtugħ ir-Ras ta' San Ġwann.

Peter u Pauline imbagħad ħadu gost jistrieħu ftit fil-ġnien tal-Barrakka ta' Fuq fejn tpaxxew bis-sbuħija naturali tal-Port il-Kbir, u ma ridux jemmnu l-kobor manifiku tas-swar li nbnew biex jipproteġu t-tlett ibliet.

Deherilhom li dan biżżejjed għall-ewwel lejla tagħhom Malta!

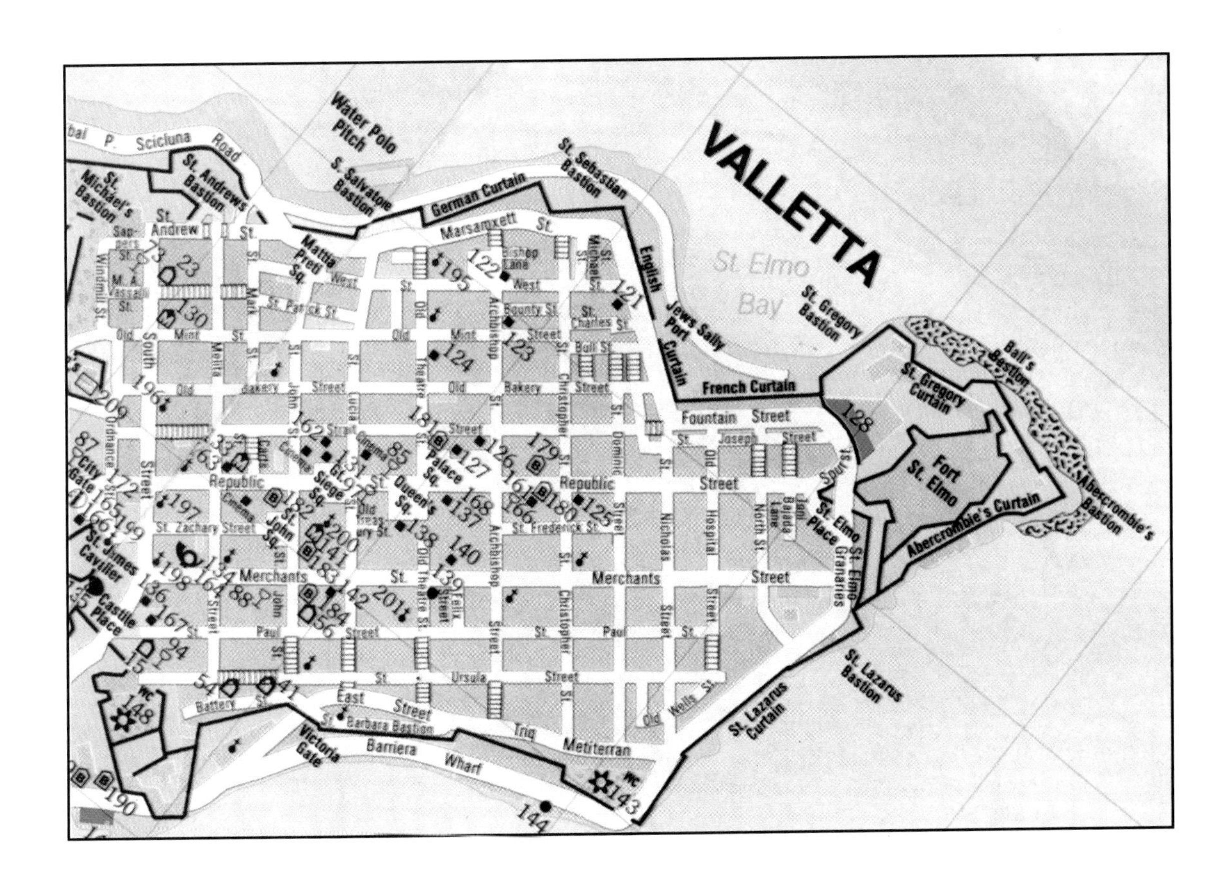

Fittex fuq il-mappa dawn it-toroq u postijiet:

Triq ir-Repubblika
Triq Merkanti
Triq l-Ifran
Triq Zekka
Triq in-Nofs in-Nhar
Triq il-Punent
Triq it-Tramuntana
Triq id-Dejqa
il-Konkattidral ta' San Ġwann
il-knisja ta' Santa Barbara
il-knisja tal-Vitorja
il-Kattidral Anglikan

it-Teatru Manwel
it-teatru l-imwaqqa'
il-bibljoteka
il-qrati
il-Berġa ta' Kastilja (l-uffiċċju tal-Prim Ministru)
il-Mużew Nazzjonali

Taf fejn huma dawn?

it-telefons pubbliċi tal-belt
il-latrini pubbliċi
il-parlament Malti
il-ġonna pubbliċi
ir-ristoranti
il-monti
il-mużewijiet

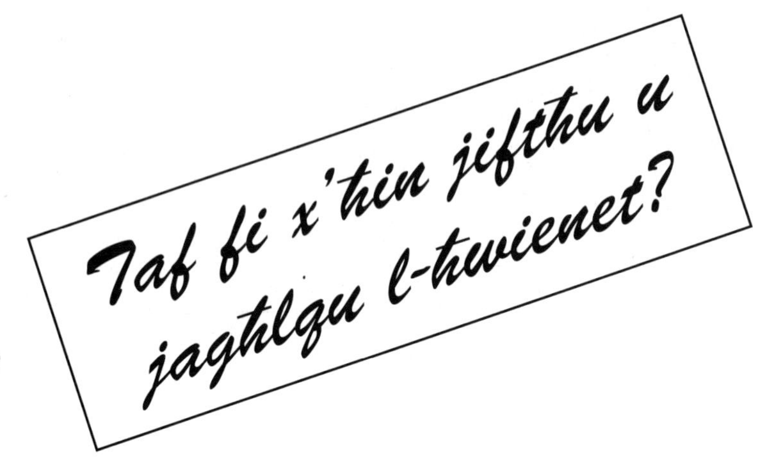

Taf fi x'ħin jiftħu u jagħlqu?

il-ħwienet tal-belt
l-uffiċċini tal-gvern
il-monti
il-mużewijiet

Qatt mort Dar il-Mediterran għall-Konferenzi?
Hemmhekk tista' tara slide show "The Malta Experience".
Taf għalxiex kien jintuża dak il-bini fi żmien il-Kavallieri?

L-istorja ta' Malta matul iż-żminijiet:

Iż-żmien Neolitiku	3800–1600 Q.K.
Żmien il-Bronż	1600–800 Q.K.
Żmien il-Feniċi	800–700 Q.K.
Żmien il-Kartaġiniżi	700–218 Q.K.
Ir-Rumani u l-Biżantini	218 Q.K.–870 W.K.
Il-ħakma ta' l-Għarab	870–1090 W.K.
In-Normanni	1090 W.K.
L-Għarab tkeċċew	1224 W.K.
Is-Swabbjani	1266 W.K.
L-Anġevini	1266–1283 W.K.
L-Aragoniżi	1283–1410 W.K.
Il-Kastilljani	1410–1529 W.K.
Il-Kavallieri ta' San Ġwann	1530–1799 W.K.
Il-Franċiżi	1799–1800 W.K.
L-Ingliżi	1800–1964 W.K.
Malta kisbet l-Indipendenza	1964 W.K.
Malta saret Repubblika	1974 W.K.

GRAMMATIKA

The following mean that something has been going on from a certain moment in the past, and is still going on at the moment of speech.

ili/ilni
ilek
ilu
ilha
ilna
ilkom
ilhom

Ilni nistenna.
I have been waiting for a long time.

Ilek ma tiġi.
It has been a long time since you last came.

Ilu msiefer.
He has been abroad for a long time.

Ilha mejta.
She has been dead for a long time.

Ilna ma npejpu.
We have not smoked for a long time.

Ilkom tgħumu.
You have been swimming for a long time.

Ilhom igergru.
They have been complaining for a long time.

The following is used as a past tense of "to have".

jien kelli
inti kellek
hu kellu
hi kellha
aħna kellna
intom kellkom
huma kellhom

L-Imperattiv mal-pronomi meħmużin

Xi kultant, il-pronomi jinhemżu fit-tarf tal-verb fl-imperattiv.
On some occasions, the pronouns are added at the end of the verb in the imperative.

ħalli	ħallini	ħallina
ħallu	ħalluni	ħalluna
agħti	agħtini	agħtina
agħtu	agħtuni	agħtuna
fittex	fittixni	fittixna
fittxu	fittxuni	fittxuna

ORTOGRAFIJA

L-"għ" toqgħod wara l-ewwel vokali fl-imperattiv (kmand) tal-verbi, u fil-komparattiv:
The letter "għ" is placed after the first vowel in the imperative, and in the comparative:

(a) fl-imperattiv: agħmel, agħmlu; agħlaq, agħlqu
(b) fil-komparattiv: ogħla, agħma

PRONUNZJA

L-assimilazzjoni tal-konsonanti

Fil-Malti, il-konsonanti mleħħna li ġejjin jinstemgħu mhux imleħħna meta (i) jinstabu f'tarf il-kelma, jew (ii) warajhom preċiż ikun hemm konsonanti bla leħen.
In Maltese, the following voiced consonants, are pronounced without voicing when (i) they occur at the end of a word, or (ii) they are immediately followed by a voiceless consonant.

b	**tinstema'**	**p**
d	”	**t**
ġ	”	**ċ**
g	”	**k**
v	”	**f**
ż	”	**s**

Eżempju:

bieb	”	**biep**
ried	”	**riet**
feġġ	”	**feċċ**
spag	”	**spak**
nerv	”	**nerf**
ħażż	”	**ħass**
aċdu	”	**aċtu**
Għawdxin	”	**awtċin**
btieħi	”	**ptieħi**
ridtu	”	**rittu**
ġfien	”	**ċfien**
żfin	”	**sfin**
bħalma	”	**pħalna**
dqiq	”	**tqiq**

EŻERĊIZZJI

1. Wieġeb u ddiskuti dawn il-mistoqsijiet:

1. **Togħġbok il-belt Valletta?**
2. **X'jogħġbok l-iżjed?**
3. **X'taħseb li jista' jsir biex il-belt Valletta tkun aħjar?**

2. Imla l-vojt:

1. **Jien il-bieraħ ________________ mingħand tal-ħaxix.**
2. **Marija l-ġimgħa l-oħra ________________ fis-sodda.**
3. **Nhar il-Ħamis li għadda ________________.**
4. **Il-Milied li għadda ________________.**
5. **Fl-anniversarju tas-sena l-oħra ________________.**

3. Li kieku int tkun il-persuni t'hawn taħt x'ordnijiet tagħti:

1. **Omm lil binha li ma jridx jistudja.**
2. **Il-kowċ tal-futbol lill-plejers tiegħu.**
3. **Il-pulizija lil xi ħadd li daħal fit-triq ħażina.**
4. **L-għalliema lill-istudenti fil-klassi.**
5. **Il-kapural lis-suldati tiegħu.**
6. **It-tabiba lill-pazjenta tagħha.**

4. Meta tagħmel ipotesi . . .

Ħafna drabi meta nitkellmu fuq in-nies jew fuq iċ-ċirkustanzi ngħidu dak li naħsbu aħna li ġara jew nagħmlu ipotesi dwar il-għaliex ġara hekk. Per eżempju:

Jien naħseb li siefer għax tawh biljett b'xejn.
Forsi ma impjegawx lil kulħadd għax m'għandhomx xogħol biżżejjed.
Seta' ġara illi l-eżami kien itqal mis-soltu u għalhekk weħlu ħafna studenti.
Margaret iżżewġet imma xorta żammet kunjomha ta' xebba għax naħseb li jogħġobha.

Għaliex tissupponi li ġara hekk?

1. **It-tifel waqa' għax (a) it-triq kollha ħofor.**
   (b) għandu bżonn nuċċali.
   (ċ) ma jafx jimxi.

2. **Lażżru telaq lill-mara għax (a) tħobb tgerger.**
   (b) ma tafx issajjar.
   (ċ) tonħor wisq.

3. **Margaret biddlet l-istil ta' xagħarha (a) minħabba s-sħana.**
   (b) kellha problema mentali.
   (ċ) biex tkun bħal ħabibitha.

4. **Mario emigra l-Kanada għax (a) ma kellux xogħol li jogħġbu.**
   (b) biex jaqla' iktar flus.
   (ċ) ried karozza Kanadiża.

5. **Rita m'għaddietx mill-eżami għax (a) kienet marida.**
   (b) qatt ma studjat.
   (ċ) kien tqil wisq.

6. **Il-missier għandu żewġ xogħlijiet għax (a) ma jħobbx joqgħod iħares.**
   (b) għandu d-dejn.
   (ċ) il-mara tonfoq ħafna flus.

7. **It-turisti jiġu Malta l-iktar minħabba (a) ix-xemx u l-baħar.**
   (b) id-drawwiet Maltin.
   (ċ) l-istorja ta' Malta.

8. **Dak ma jkellimx nies għax (a) ma jafx bil-Malti.**
   (b) hu stramb minnu.
   (ċ) mutu.

9. **Jekk tmur l-Iżvizzera fix-xitwa għandek ċans kbir li (a) issib is-silġ.**
   (b) tiddejjaq.
   (ċ) tħoss il-bard.

10. **Jekk jilħaq tabib (a) jispiċċa jaħdem bla waqfien.**
    (b) ikollu ħafna vaganzi.
    (ċ) ikollu jagħmel id-dieta.

5. Imla l-vojt – X'inħobb nagħmel jien, int u l-ħbieb tagħna:

1. **Jien nixrob it-tè u (kiel) ________ il-biskuttini.**
2. **Jien inqum fis-sebgħa ta' filgħodu u (ħareġ) ________ bil-ġirja.**
3. **Peter iħobb jilgħab il-karti u (xorob) ________ il-birra.**
4. **Il-ħabib tiegħi kien iqum tard u (raqad) ________ kmieni.**
5. **Inti timxi sa l-iskola u mbagħad (ġera) ________ sad-dar.**
6. **Aħna nixtru l-ħaxix u (kiel) ________ l-ħobż kuljum.**
7. **Intom l-ewwel tiftħu l-ħanut tard u mbagħad (ried) ________ li żżommu l-klijenti moqdijin.**
8. **It-tfal jgħumu fis-sajf u (lagħab) ________ l-ballun fix-xitwa.**
9. **Iż-żgħażagħ jitilgħu Paceville fil-weekend u (ra) ________ it-televixin matul il-ġimgħa.**
10. **Rita tħobb tixxemmex filgħodu u (raqad) ________ wara nofs in-nhar.**
11. **Aħna naħsbu li ħabib veru (baqa') ________ ħabib għal dejjem.**
12. **Sieħbi (żamm) ________ kollezzjoni kbira tal-bolli.**
13. **Il-ħabiba tiegħi (ħabb) ________ tiekol il-frott u l-ħaxix.**
14. **L-ittra li rċevejt (beda) ________ b'dawn il-kelmiet.**
15. **Il-bieraħ (kien involut) ________ ________ fix-xogħol kollu li sar.**
16. **Jekk (iltaqa') ________ miegħi fit-triq, ieqfu paċpċu miegħi.**
17. **Aħna (ftiehem) ________ li (ltaqa') ________ fit-8:30p.m.**
18. **Il-lejla (se jmur jiekol) ________ flimkien f'restorant Ċiniż.**
19. **Nhar ta' Sibt dejjem (ħareġ) ________ flimkien.**
20. **Nadia (ħabb) ________ issiefer.**

6. Meta tesprimi l-emozzjonijiet

6a. *Agħżel it-tajba*

1. **Meta nisma' ċajta nibda (nidħaq, nibki).**
2. **Meta jkun irrabjat jibda (jgħajjat, isaffar).**
3. **Jien (niddejjaq, nieħu gost) jekk joqogħdu jistaqsuni ħafna dettalji personali.**
4. **Kemm inħossni (għajjien, mistrieħ) wara ġurnata xogħol.**
5. **Marija tixtieq l-art tiblagħha (bil-mistħija, bil-ferħ).**

6b. Għid kif tħossok int f'dawn iċ-ċirkustanzi.

1. **Meta tiżloq fit-triq quddiem in-nies.**
2. **Xi ħadd jgħidlek li jħobbok.**
3. **Iddum ħafna tistenna lil xi ħadd li jasal tard.**
4. **Tmur riċeviment u jkun hemm xi ħadd li jkollu libsa eżatt bħal tiegħek.**
5. **Tkun mistieden għall-ikel u joffrulek platt li ma tħobbux.**
6. **Xi ħadd ikun qed ikellmek u ma tkunx qed tifhmu.**
7. **It-tfal ma jobdux.**
8. **Tiġi l-ewwel fl-eżami.**
9. **Tirbaħ il-lotterija.**
10. **Iċempel it-telefon f'nofs ta' lejl.**

7. Xi kultant ikollok tipprotesta!

Eżempju: *Marija daħlet tixtri l-ħobż mingħand il-furnar. Ġew in-nies warajha u kienu se jinqdew qabilha.*

Furnar: **Min imissu?**
Tfajla: **Erbgħa kbar.**
Marija: **Skużi ta imma jien imissni.**
Furnar: **Żommu l-kju. Kemm trid?**
Marija: **Tnejn żgħar.**

Xi tgħid inti f'dawn iċ-ċirkustanzi (tajjeb jekk tiġi irreċtata bejn l-istudenti):

1. **Irċevejt il-kont ta' l-ilma u ta' l-elettriku u jidhirlek li fih żball. Mur quddiem l-iskrivan u għidlu.**
2. **Il-kaxxier tal-bank ħa żball u tak Lm10 inqas. Għidlu bl-iżball.**
3. **Kont qed tistenna għand il-"hair-stylist" u kienet se taqdi lil xi ħaddieħor minflokok. Xi tgħidilha?**
4. **Inti impjegata bħala skrivana. Il-maniġer talbek iżjed xogħol milli tiflaħ tagħmel. Kif se tgħidlu?**
5. **Wara li xtrajt libsa u mort biha d-dar indunajt li fiha d-"damage". Ħudha lura għand tal-ħanut u spjegalha l-każ.**

8. Kultant ikollok tikkmanda.

Eżempju: *Toni qal lit-tifel biex jinżel minn hemm.*
Toni qal lit-tifel "Inżel minn hemm".

1. **Tania talbet lil Rita biex tiftaħ il-bieb.**
2. **L-għalliem qal lit-tfal biex jieklu l-ħobż kollu.**
3. **Is-sewwieq qal lill-passiġġieri biex ma jqumux minn posthom.**
4. **Tal-ħanut talab lix-xerrej biex iħallas minnufih.**
5. **L-omm għajtet lil kulħadd għall-ikel.**
6. **L-iskrivan talab lill-klijent biex jistenna barra.**
7. **Min wieġeb it-telefon qalli biex inżomm il-linja.**
8. **Is-sinjura ordnat lis-seftura biex tgħaddi l-ħwejjeġ.**
9. **Carlo qal lill-kelb biex jaqbeż il-baħar.**
10. **Lill-mistednin qalulhom biex jixorbu kemm iridu.**
11. **Ommi qaltli biex nagħlaq kullimkien qabel noħroġ.**
12. **Il-maniġer ordna lill-ħaddiema biex ma joħorġux bil-vaganzi.**
13. **Fiona qaltli biex infittex nikteb ittra lil Jonathan.**
14. **Edward qal lill-mużiċisti biex jipprattikaw kuljum.**
15. **Ċempilt lil Andrew biex ifittex jiġi għall-kotba.**

9. Irrakkonta lil xi ħadd ieħor xi smajthom jgħidu.

Eżempju: *Mario lil Rita: "Jeħtieġ li naraw x'nagħmlu b'dan it-tifel"*
Mario qal lil Rita li jeħtieġ jaraw x'jagħmlu b'dak it-tifel.

1. **Rita: "Aldo kemm se ddum l-uffiċċju?"**
2. **Aldo: "Probabbilment sas-sebgħa ta' filgħaxija".**
3. **Il-missier: "Uliedi isimgħu minni".**
4. **Għalliem: "Jekk jogħġobkom tfal oqogħdu kwieti fil-klassi".**
5. **Vincent: "Ħbieb meta se mmorru ngħumu?"**
6. **Pauline: "Inti tista' tiġi issa?"**
7. **Jien: "Nista' niġi kwarta oħra".**
8. **Charles: "Rita għid lill-ħaddiema jnaddfu warajhom."**
9. **L-omm lit-tifla: "Tista' tonxorhom issa l-ħwejjeġ?"**
10. **Ir-rapport tat-temp: "Għada se jqum riħ qawwi."**
11. **L-aħbarijiet: "Il-bieraħ ġraw ħafna inċidenti."**
12. **Rita: "Tonio fittex qum minn hemm għax sar il-ħin".**
13. **Michael: "Jien naħseb li aħjar ma jkollniex kumitat għalissa".**
14. **Anna: "Ma naqbilx miegħek Michael."**
15. **Joe: "Naqbel ma' Anna li għandu jkun hemm kumitat."**

10. Kif titlob skuża:

(A) Marija kienet mistiedna għall-ikel għand Sandra u Paul. Hi u sejra ħadet panċer u waslet għoxrin minuta tard. X'ħin waslet ċemplet il-qanpiena u fetħilha Paul.

Paul: **"Għaddi, kif int orrajt?"**
Marija: **"Orrajt. Skużawni wasalt tard għax ħadt panċer".**
Paul: **"L-aqwa li ma ġralek xejn."**
Marija: **"Jimporta nidħol naħsel idejja?"**
Sandra: **"Idħol hawn Marija. Tinkwetax."**

(B) Rita kienet miftiehma li tiltaqa' ma' l-għarus tagħha Reuben biex imorru jgħumu fl-erbgħa ta' wara nofs in-nhar. Iżda raqdet u x'ħin qamet kienu diġa l-erbgħa! Qabdet u ċemplitlu biex tavżah li se tasal tard.

Reuben: **"Hello".**
Rita: **"Hello Reuben. Jien ħa nitlaq issa mid-dar. Ċempiltlek biex tkun taf għaliex ħa nasal tard. Skużani imma lanqas indunajt li ġa saru l-erbgħa. Ġejja issa. Narak."**
Reuben: **"O.K. Ċaw."**

(Ċ) Fir-restorant. Il-klijent ordna deżerta tal-frawli iżda l-wejter jiskuża ruħu li m'għandhomx.

Klijent: **"Deżerta tal-frawli jekk jogħġbok".**
Waiter: **"Eh jiddispjaċina. Naħseb li ma nistax naqdik. Ma baqgħalniex frawli l-lejla. Nista' naqdik f'xi ħaġa oħra?"**

Issa aħdem inti . . .

1. **Ċemplitlek il-ħabiba tiegħek biex tistiednek toħroġ magħha għall-ikel. Inti ma tistax tmur. X'tgħidilha?**
2. **Ir-raġel tiegħek jixtieq jistieden in-nies id-dar għall-ikel nhar il-Ħadd imma inti diġà stedint lil ommok. Kif ħa tgħidlu?**
3. **L-għalliema tat-tifel tiegħek tixtieq tkellmek. Inti ma tistax tmur. Kif ħa tgħidilha?**
4. **Ġew iħabbtulek il-bieb biex jgħallmuk fuq il-bibbja. M'għandekx moħħhom. Kif se tiskuża ruħek?**

11. Iddefendi l-opinjoni tiegħek.
Inti qed titkellem dwar dawn l-affarijiet li ġejjin mal-ħbieb tiegħek. Inti ma taqbilx magħhom u trid tiddefendi l-opinjoni tiegħek li hi differenti. X'ħa tgħidilhom?

Eżempju: *Il-Maltin huma kollha għażżenin.*
Le, ma naħsibx li l-Maltin kollha għażżenin. Ħafna minnhom jagħmlu iktar minn xogħol wieħed.

1. **L-Ingliżi bla emozzjoni.**
2. **L-irġiel kollha egoisti.**
3. **It-tfal ta' llum kollhom fsied u bla dixxiplina.**
4. **Iż-żgħażagħ ma jirrispettawx lill-ġenituri tagħhom.**
5. **Il-kelb annimal feroċi.**
6. **L-Afrika kontinent fqir.**
7. **L-Amerika art il-ġid.**
8. **It-Taljani ħallelin.**
9. **Il-karozza dejjem komda.**
10. **Iċ-Ċiniżi kollha xorta.**
11. **L-omm postha d-dar tieħu ħsieb it-tfal.**
12. **Il-missier huwa responsabbli li jaqla' l-għixien għall-familja.**
13. **Il-familja għandha dejjem tiddeverti u tistrieħ flimkien.**
14. **L-ulied għandhom dejjem jobdu l-ġenituri tagħhom.**
15. **Ta' tmintax-il sena ż-żgħażagħ għandhom ikunu kompletament indipendenti mill-ġenituri.**
16. **Fid-dinja kulħadd huwa liberu jagħmel li jrid.**
17. **Ħadd m'hu kuntent mija fil-mija b'ħajtu.**
18. **Malta pajjiż sabiħ għat-turisti biss.**
19. **In-nisa u l-irġiel huma ndaqs f'kollox.**
20. **Is-safar huwa l-isbaħ mezz ta' mistrieħ.**

12. Probabbiltà u ċertezza:

Eżempju: *Jista' jkun li Mario ma ġiex għax marid?*
Dażgur li ma ġiex għax marid.

Forsi għada tagħmel ix-xita.
Skond tat-temp żgur ħa tagħmel ix-xita.

Min jaf jirmexxilux isiefer din is-sena!
Lili qalli li diġà ibbukkja.

Aqleb is-sentenzi li ġejjin minn espressjoni ta' probabbiltà għal ċertezza u viċe-versa.

12A

1. **Naħseb li din is-sena x-xitwa se tibda kmieni.**
2. **Jista' jkun li mhux ħa nsibu ġurnata biex nistednuhom għall-ikel.**
3. **Hemm ċans noħorġu xi darba flimkien.**
4. **Probabbilment ma jħallsuhx mill-ewwel il-kont.**
5. **Forsi ġej mat-triq għalhekk ma sibtux id-dar.**
6. **Jaħseb li jien forsi ma fhimtux.**
7. **Min jaf kieku nippruvaw immorru flimkien.**
8. **Jekk tibda tiġi Josephine naħseb li l-affarijiet jitranġaw.**

12B

1. **Dak il-ktieb jiswa ħafna flus.**
2. **Jiena ċerta li għada mhux ħa nqum kmieni.**
3. **Huwa żgur minnu nnifsu.**
4. **Charlie ċert li Lydia għadha tħobbu.**
5. **Nassigurak li m'għamlux testment.**
6. **Qalli li se jara lil bintu.**
7. **Jien naf li qed jigdeb.**
8. **Il-lejla niġi żgur.**

13. Meta tagħti xi parir . . .

Eżempju: *Jien nissuġġerixxi li norbtu l-ħabel ma' l-arblu.*
Min jaf kieku norbtu l-ħabel . . .
Ta' min jipprova jorbot il-ħabel . . .
Ejja nippruvaw norbtu l-ħabel. . .
Qatt ippruvajt torbot il-ħabel . . .

Kif se jingħata l-parir fiċ-ċirkustanzi li ġejjin?

1. **Omm lil bintha biex ma tixtrix karozza għalissa.**
2. **Ħabib lil sieħbu biex ma jmurx jaħdem f'dak l-uffiċċju.**
3. **Il-mexxej lill-kumitat biex jiġbru l-flus.**
4. **Il-kowċ lill-plejers biex jittrenjaw iktar.**
5. **It-tifel lil missieru biex isiefer miegħu għall-vaganza.**

6. **L-aħwa lill-ġenituri biex imorru Għawdex.**
7. **L-għalliem lill-istudent biex jaqra l-ktieb kollu.**
8. **Is-surmast lill-għalliema biex ifittxu jikkoreġu l-karti.**
9. **Il-meniġer lill-ħaddiem biex ma jkomplix ifalli x-xogħol.**
10. **L-iskrivan lill-klijent biex jikteb ittra ta' ringrazzjament lill-kumpanija.**
11. **L-omm lill-missier biex ma jgħajjatx mat-tfal bla bżonn.**
12. **Ir-raġel lill-mara biex tbiddel il-libsa qabel ma joħorġu.**
13. **Anna lill-ħbieb tagħha biex jorganizzaw Bar-b-Q.**
14. **L-istudent lil sieħbu biex ifittex jibda jistudja għall-eżamijiet.**
15. **L-eżaminatur lill-kandidati biex ma jikkupjawx fl-eżami.**

L-INNU MALTI

Lil din l-art ħelwa, l-omm li tatna isimha,
Ħares, Mulej, kif dejjem Int ħarist:
Ftakar li lilha bl-oħla dawl libbist.

Agħti, kbir Alla, id-dehen lil min jaħkimha,
Rodd il-ħniena lis-sid, saħħa 'l-ħaddiem:
Seddaq il-għaqda fil-Maltin u s-sliem.

Dun Karm